Tutti insieme!

WORKBOOK

Quaderno degli esercizi

Maria Del Vecchio
Danielle Rossi

Danièle Bourdais
Sue Finnie

253 Normanby Road, South Melbourne, Victoria 3205, Australia

Oxford University Press is a department of the University of Oxford.
It furthers the University's objective of excellence in research, scholarship,
and education by publishing worldwide in

Oxford New York

Auckland Cape Town Dar es Salaam Hong Kong Karachi
Kuala Lumpur Madrid Melbourne Mexico City Nairobi
New Delhi Shanghai Taipei Toronto

With offices in

Argentina Austria Brazil Chile Czech Republic France Greece
Guatemala Hungary Italy Japan Poland Portugal Singapore
South Korea Switzerland Thailand Turkey Ukraine Vietnam

First published 2003

Reprinted 2004 (twice), 2005

Written by Maria Del Vecchio and Danielle Rossi. Adapted from Équipe Encore Workbook 1 by
Danièle Bourdais and Sue Finnie, published by Oxford University Press 2000.

National Library of Australia
Cataloguing-in-Publication data:

Tutti insieme! Level 1.
For year 7 and 8 students

ISBN 9 78 019551595 4
ISBN 019 551595 1

1. Italian language - Textbooks for foreign speakers - English.
2. Italian language - Study and teaching (Secondary) - English speakers. I. Rossi, Danielle, 1958-.

458.2421N

Language consultant: Fabio Malgaretti
Printed through Bookpac Production Services, Singapore

Indice del contenuto *Contents*

1

È a oppure b?
*Tick **a** or **b**.*

Esempio Ciao!	**a** Hi!	✔
	b How are you?	☐
1 Buongiorno!	**a** Good morning!	☐
	b Goodbye!	☐
2 Arrivederci.	**a** Good morning!	☐
	b Goodbye!	☐
3 Mi chiamo Anna.	**a** Hello Anna.	☐
	b My name is Anna.	☐
4 Come ti chiami?	**a** What's your name?	☐
	b How are you?	☐

2

Copia le frasi.
Copy sentences 1–4 from activity 1 into the blank speech bubbles.

* Babbo Natale *Father Christmas*

1 Completa.

Write the numbers in the grid.

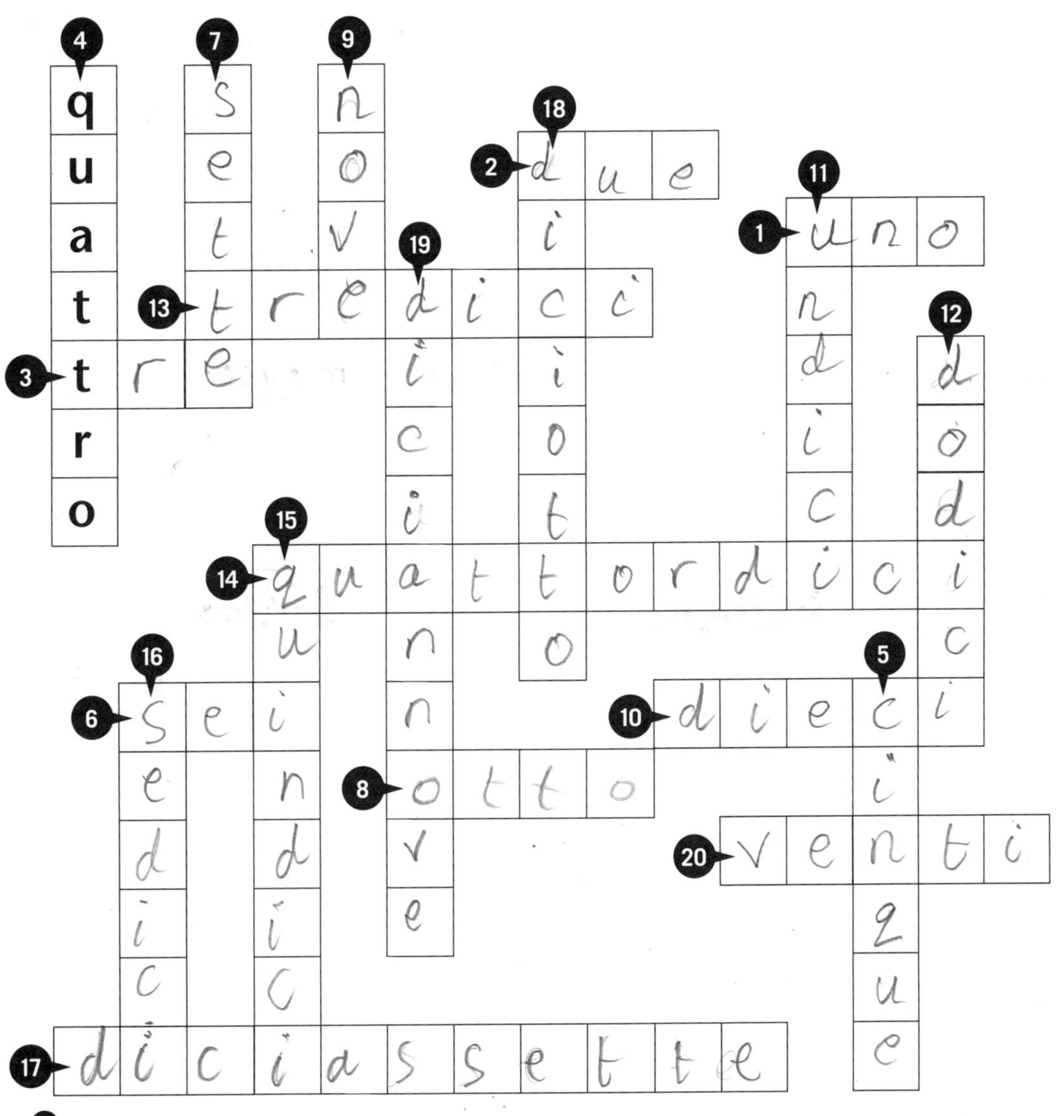

diciannove
dodici
quattordici
uno
tre
sei
nove
cinque
diciassette
quattro
otto
dieci
tredici
sette
undici
sedici
quindici
venti
diciotto
due

2 Completa.

Do the sums.

Esempio *tre + sette = dieci*

a due + quattro = sei

b uno + dodici = tredici

c tre + tredici = sedici

d cinque + sette = dodici

e undici + nove = venti

f dieci + cinque = quindici

1

Trova i dodici mesi dell'anno.
Find the twelve months of the year.

gennaiofebbraiomarzoaprilemaggiogiugnoluglioagostosettembreottobrenovembredicembre

2

Completa.
Write in the missing month.
Esempio *settembre,* ***ottobre****, novembre*

a

b

c

luglio

d

3

Unisci.
Draw an arrow to connect the two parts of each sentence.

a Quanti anni — **1** il due novembre.
b Ho — **2** compleanno!
c Quand'è — **3** hai?
d Il mio compleanno è — **4** il tuo compleanno?
e Buon — **5** dodici anni.

4

Vero (✔) o falso (✗)?
True (✔) or false (✗)?

a The boy's name is Marco. ☑ ✓
b He is twelve years old. ☑ ✗
c His birthday is on 30th July. ☑ ✗

1

Scrivi.
Write in the names of the animals.

a

una scimmia

b

un'anatra

c

un uccellino

d

uno scoiattolo

e

un cane

f

due gatti

- due gatti
- un cane
- uno scoiattolo
- un'anatra
- un uccellino
- una scimmia

2

Leggi la lettera. Di chi è?
Read the letter. Who wrote it?

Ho due fratelli, Daniele e Eugenio. Non ho sorelle. Ho un'anatra.

Isabella ☐ Nicola ☐ Chiara ☐

3

Scrivi.
Write similar sentences for the other two.

Isabella : Ho un fratello e una sorella. Ho un cane.
Nicola : Ho tre fratelli. Non ho sorelle. Ho due gatti.
Chiara : Ho due fratelli, Daniele e Eugenio. No ho sorelle. Ho un'anatra

4

E tu? Hai dei fratelli o delle sorelle? Hai un animale in casa?
Do you have any brothers or sisters? Do you have a pet? Write two or three sentences on page 11.

Flashback

un/uno = masculine words	**una/un'** = feminine words
Ho **un** cane. = *I've got **a** dog.* Ho **un** uccellino. = *I've got **a** little bird.* Ho **uno** scoiattolo. = *I've got **a** squirrel.*	Ho **una** scimmia. = *I've got **a** monkey.* Ho **un'**anatra. = *I've got **a** duck.*

1a
Sottolinea le parole maschili.
Underline all the masculine words in the box.

un gatto	un'aquila	un elefante	una giraffa
una zebra	uno scorpione	un orso	una scimmia
un'anatra	una persona	un cane	uno struzzo

b
Metti un cerchio intorno alle parole femminili.
Now draw a circle around the feminine words.

c
Scrivi i nomi.
*Label pictures a–h with the words from the box. Be sure to include **un/uno** or **una/un'** before each word.*

Esempio

un gatto

a

b

c

d

e

f

g

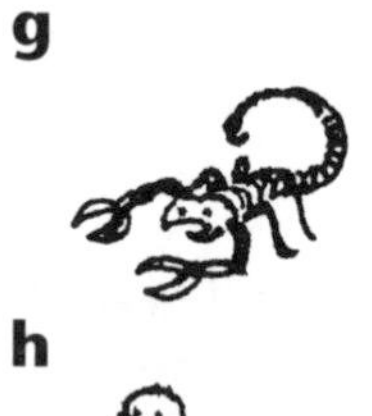

h

I mesi dell'anno ☆	*Months of the year*
gennaio	*January*
febbraio	*February*
marzo	*March*
aprile	*April*
maggio	*May*
giugno	*June*
luglio	*July*
agosto	*August*
settembre	*September*
ottobre	*October*
novembre	*November*
dicembre	*December*

Gli animali ☆	*Animals*
Hai un animale in casa?	*Have you got any pets?*
No, non ho animali in casa.	*No, I haven't got any pets.*
Sì, ho . . .	*Yes, I've got . . .*
un gatto	*a cat*
un'aquila	*an eagle*
un elefante	*an elephant*
una giraffa	*a giraffe*
una zebra	*a zebra*
uno scorpione	*a scorpion*
un orso	*a bear*
una scimmia	*a monkey*
un'anatra	*a duck*
un cane	*a dog*
uno struzzo	*an ostrich*

I saluti ☆	*Greetings*
Ciao!	*Hi!/Goodbye!*
Buongiorno!	*Good morning!*
Arrivederci!	*Goodbye!*
Come ti chiami?	*What's your name?*
Mi chiamo . . .	*My name is . . .*

I compleanni ☆	*Birthdays*
Quanti anni hai?	*How old are you?*
Ho dodici anni.	*I'm twelve years old.*
Quand'è il tuo compleanno?	*When is your birthday?*
Il mio compleanno è il due novembre.	*My birthday is on 2nd November.*
Buon compleanno!	*Happy birthday!*

Fratelli e sorelle ☆	*Brothers and sisters*
Hai dei fratelli o delle sorelle?	*Have you got any brothers or sisters?*
Ho un fratello.	*I've got one brother.*
Ho due fratelli.	*I've got two brothers.*
Ho una sorella.	*I've got one sister.*
Ho due sorelle.	*I've got two sisters.*
Non ho sorelle.	*I haven't got any sisters.*
Non ho fratelli.	*I haven't got any brothers.*

I can . . .	**Students' Book page**	**Me**	**Checked by my partner**
say hello	*12–13*	☐	☐
say goodbye		☐	☐
ask someone their name		☐	☐
say my name		☐	☐
count up to 31	*14, 16*	☐	☐
ask someone where they live	*15*	☐	☐
say where I live		☐	☐
ask someone their age	*16–17*	☐	☐
say how old I am		☐	☐
ask when someone's birthday is		☐	☐
say when my birthday is		☐	☐
ask someone if they have any brothers or sisters	*18–19*	☐	☐
say how many brothers and sisters I've got		☐	☐
name ten animals		☐	☐
ask someone if they have a pet		☐	☐
say whether I have a pet		☐	☐
Grammar:			
understand the difference between *io* and *tu*	*15*	☐	☐
use *abito* and *abiti*		☐	☐
use *un, uno, una* and *un'*	*19*	☐	☐

What I found easy: ______________________

What I found difficult and need to go over again: ______________________

What I need to learn by heart: ______________________

What I liked doing most: ______________________

Ciao! Mi chiamo Danielle. Ho dodici anni. Il mio compleanno è il ventisette luglio. Abito a Londra. Non ho fratelli e non ho sorelle. Ho un gatto che si chiama Billy. Mia scuola è a knightsbridge e si chiama More House. Arrivederci!

Buongiorno! Come ti chiami? Quanti anni hai? Quand'è il tuo compleanno? Dove abiti? Hai fratelli e sorelle? Hai un animale? Come si chiama tua scuola?

1a Copia e sottolinea . . .

. . . le parole maschili: ～～～～

. . . le parole femminili: ———

. . . le parole plurali: ═══

Copy the words below under the pictures and underline them according to whether they're masculine, feminine or plural.

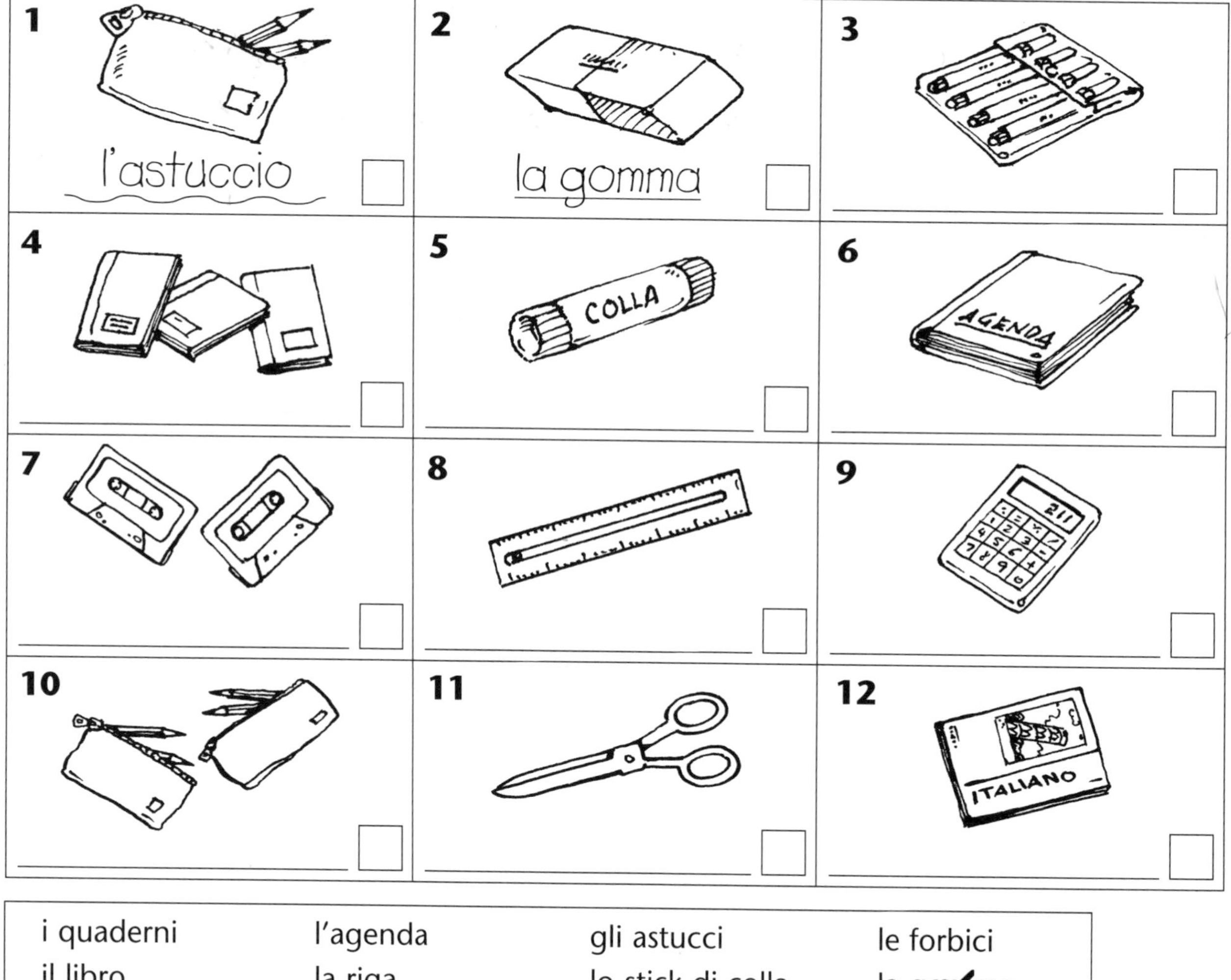

i quaderni	l'agenda	gli astucci	le forbici
il libro	la riga	lo stick di colla	la gomma ✔
i pennarelli	la calcolatrice	l'astuccio ✔	le cassette

1b Segna gli oggetti così: Ho = ✔; Non ho = ✗.

Tick what you have (✔) and cross what you don't have (✗).

1c Scrivi le frasi a pagina 19.

Write sentences on page 19.

Esempio *Ho l'astuccio. Non ho la gomma.*

1

Completa la cruciverba con le parole nella casella.
Fill in the grid with the words in the box.

italiano	scienze
inglese	informatica
francese	educazione fisica
arte	matematica
religione	storia
musica	geografia

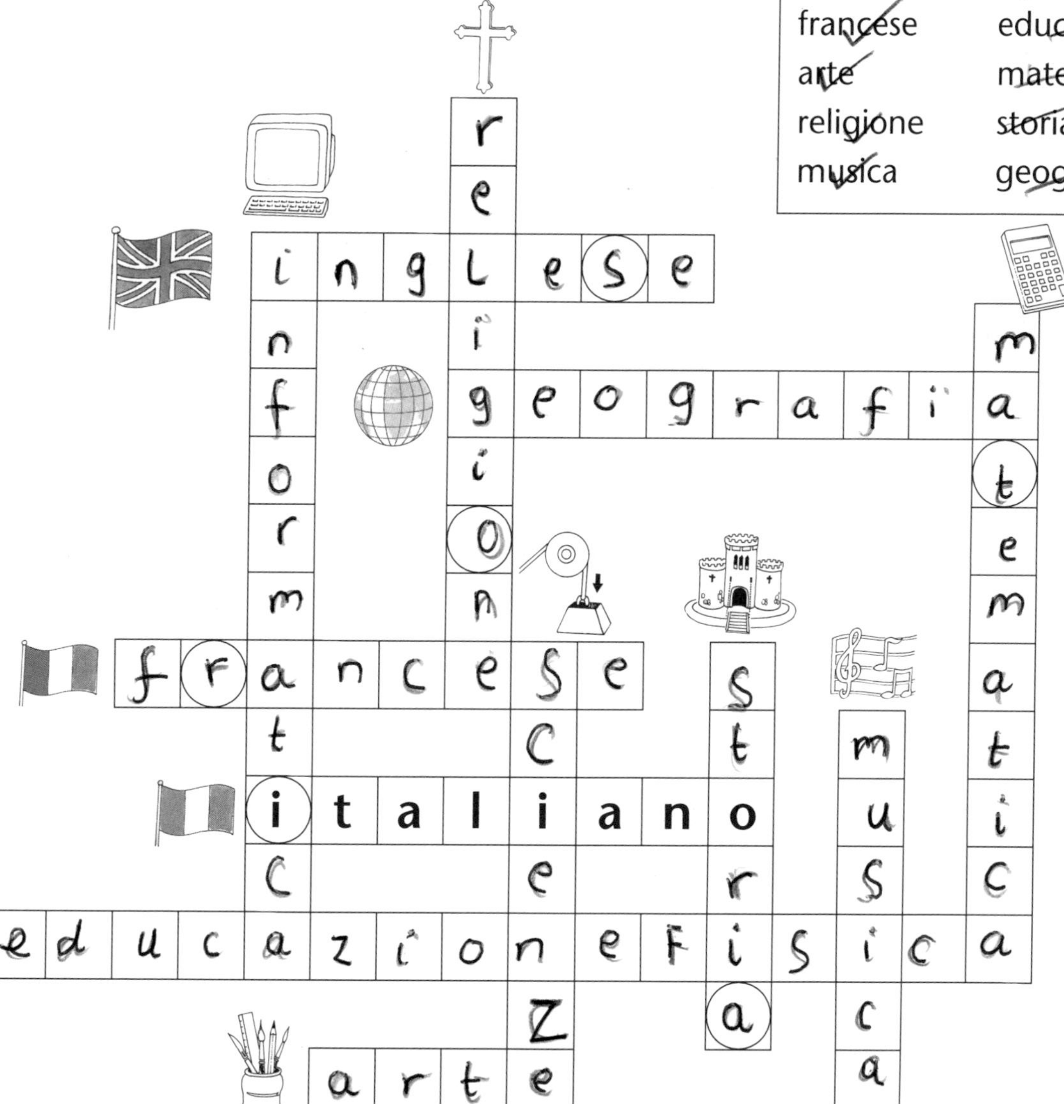

2

Completa il messaggio con le lettere nei cerchi.
Complete the message with the letters in the circles.

 Mi piace italiano.

 Non mi piace geografia

3

Quale(i) materia(e) ti piace/piacciono?
Which subject(s) do you like?

 Mi piace/piacciono musica.

 Non mi piace/piacciono geografia, informatica.

1a Completa.

Fill in the gaps to make sentences.

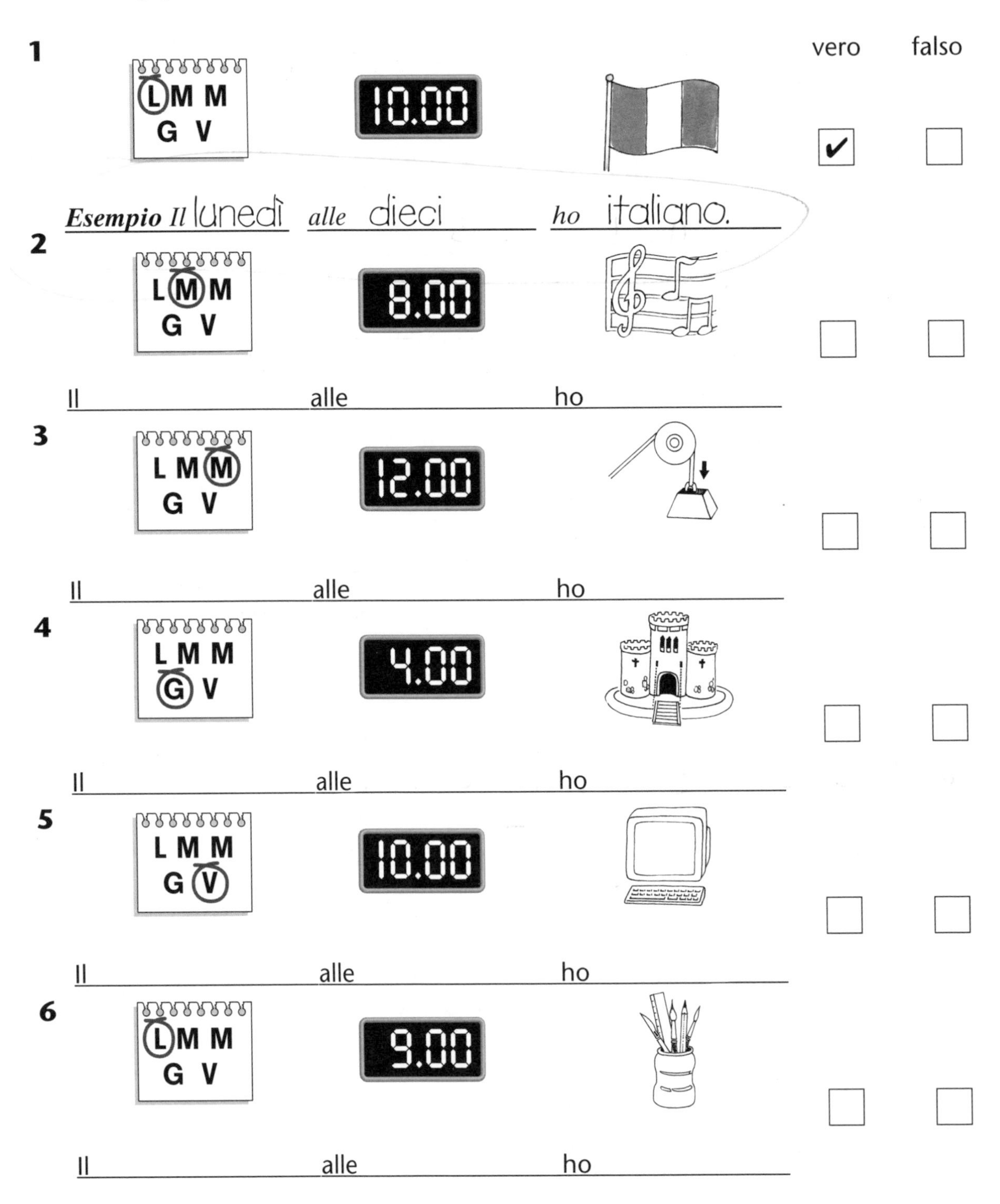

1b Guarda l'orario di classe a pagina 29 di *Tutti insieme!* Vero (✔) o falso (✗)?

Look at the timetable on page 29 of Tutti insieme! *True (✔) or false (✗)?*

1a Unisci i disegni alle nuvolette.

Match up the pictures to the right speech bubble.

1	2	3	4	5	6
b					

a Non capisco.

b Mi scusi. Sono in ritardo.

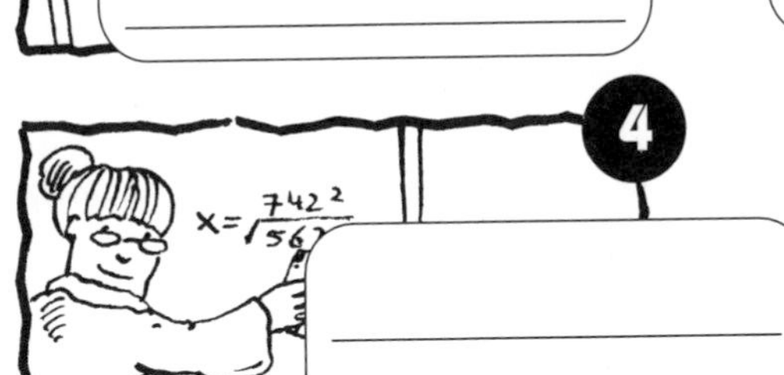

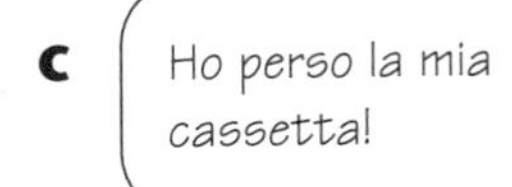

c Ho perso la mia cassetta!

d Ho un problema. Non ho una compagna di classe!

e Come si dice "exhausted" in italiano?

f Ho finito!

1b Copia la frase giusta nella nuvoletta.

Copy the right expressions into the blank speech bubbles.

Flashback

If you want to talk about just one thing or person you like, you say *mi piace . . .* :

Mi piace matematica.

But if you want to talk about more than one thing or person you like, you say *mi piacciono . . .* :

Mi piacciono gli zaini.

To say that someone else likes something, you say *A Giulietta piace . . .* or *A Giulietta piacciono . . .*

1 Completa con *piace* oppure *piacciono*.
Write piace *or* piacciono *in the spaces.*

Esempio

A Giulietta piace inglese.

A Giulietta piaccino i compiti d'italiano.

A Giulietta piace il prof di francese!

3 Scuola media "Leopardo da Mici"
Pagella di Giulietta Gattinoni
Italiano 10
Francese 10
Inglese 10

A Giulietta piaccino le lingue!

Flashback

To say that you don't like something, put *non* in front of *mi piace/mi piacciono.*

Non mi piace matematica. Non mi piacciono gli zaini rossi.

To say that someone else doesn't like something, you say *A Romeo non piace . . .* or *A Romeo non piacciono . . .*

2 Romeo è il contrario di Giulietta. Scrivi il contrario delle frasi dell'attività 1.
Romeo is the opposite of Giulietta. Write the opposite of the sentences in activity 1.

Esempio

A Romeo non piace inglese.

A Romeo non piacciono i compiti d'italiano.

A Romeo non piace il prof di francese!

3 Scuola media "Leopardo da Mici"
Pagella di Romeo Micione
Italiano 1
Francese 1
Inglese 1

A Romeo non piacciono le lingue!

Nello zaino	☆ *In your backpack*
l'agenda	*diary*
l'astuccio	*pencil case*
la calcolatrice	*calculator*
le cassette	*cassettes*
il dizionario	*dictionary*
le forbici	*scissors*
la gomma	*rubber*
il libro	*book*
i pennarelli	*felt-tipped pens*
i quaderni	*exercise books*
la riga	*ruler*
lo stick di colla	*glue stick*
gli astucci	*pencil cases*

Le materie	☆ *School subjects*
Mi piace/Mi piacciono (+ materia/materie)	*I like (+ subject/s)*
Non mi piace/Non mi piacciono (+ materia/materie)	*I don't like (+ subject/s)*
arte	*Art*
educazione fisica	*Physical education*
francese	*French*
geografia	*Geography*
informatica	*Information technology*
inglese	*English*
italiano	*Italian*
matematica	*Maths*
musica	*Music*
religione	*Religion*
scienze	*Science*
storia	*History*

L'orario di classe	☆ *The timetable*
Ho (+ materia) il lunedì, alle tre.	*I have (+ subject) on Mondays, at 3pm.*
lunedì	*Monday*
martedì	*Tuesday*
mercoledì	*Wednesday*
giovedì	*Thursday*
venerdì	*Friday*

In aula	☆ *In the classroom*
Non capisco.	*I don't understand.*
Mi scusi. Sono in ritardo.	*Sorry. I'm late.*
Ho perso (la mia cassetta).	*I've lost (my cassette).*
Ho un problema.	*I've got a problem.*
Non ho (una compagna di classe)	*I haven't got (a partner).*
Come si dice . . . in italiano?	*How do you say . . . in Italian?*
Ho finito!	*I've finished!*

I can . . .	**Students' Book page**	**Me**	**Checked by my partner**
name nineteen school things	*24–25*	☐	☐
ask someone what they have in their backpack or pencil case		☐	☐
say what I have in my backpack or pencil case		☐	☐
say what I don't have in my backpack or pencil case		☐	☐
ask someone if I can borrow a pen, a ruler, etc.		☐	☐
name twelve school subjects	*26–27*	☐	☐
ask someone which subjects they like		☐	☐
say which subjects I like		☐	☐
say which subjects I don't like		☐	☐
give my opinion about subjects		☐	☐
ask which subjects someone has on what day and at what time	*28–29*	☐	☐
say when I have particular subjects		☐	☐
use fourteen classroom phrases	*30–31*	☐	☐
Grammar:			
use *piacere*	*27*	☐	☐
use the negative *non*	*31*	☐	☐

What I found easy: ______________________________

What I found difficult and need to go over again: ______________________________

What I need to learn by heart: ______________________________

What I liked doing most: ______________________________

1a Unisci l'inizio e la conclusione dei nomi di dieci passatempi.

Draw arrows to show the words for ten hobbies.

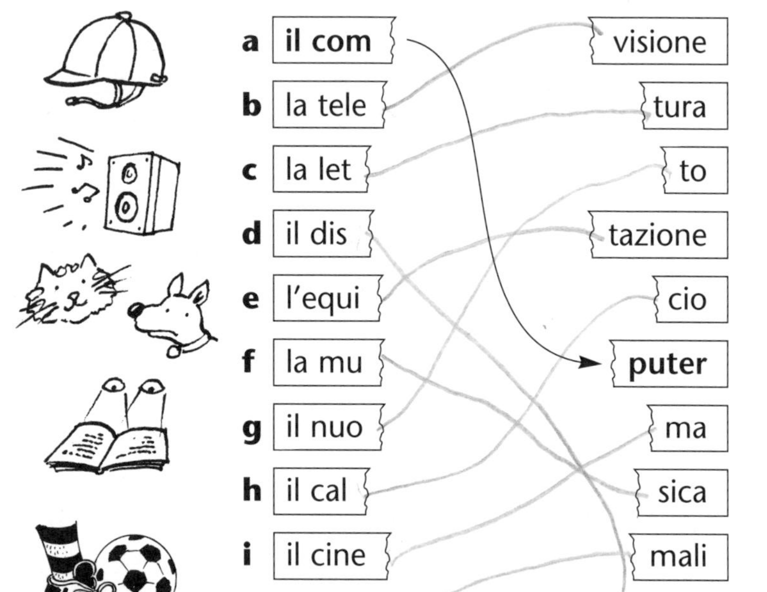

a	**il com**	visione
b	la tele	tura
c	la let	to
d	il dis	tazione
e	l'equi	cio
f	la mu	**puter**
g	il nuo	ma
h	il cal	sica
i	il cine	mali
l	gli ani	egno

1 il computer ✓
2 la televisione ✓
3 la lettura ✓
4 il disegno ✓
5 l'equitazione ✓
6 la musica ✓
7 il nuoto ✓
8 il calcio ✓
9 il cinema ✓
10 gli animali ✓

1b Copia.

Write out the complete words.

2 Unisci i simboli alle frasi.

Match the symbols with the right sentences.

1	2	3	4

a Odio . . . !
b Mi piace!
c Amo . . . !
d Non mi piace!

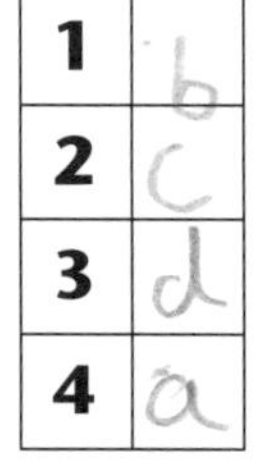

1	b
2	c
3	d
4	a

3 Con l'aiuto dei simboli scrivi le frasi.

Write out the meaning of the coded sentences.

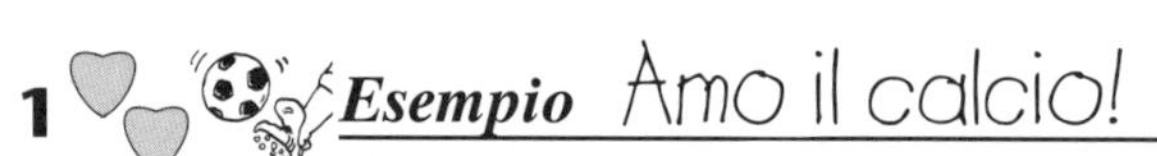

1 ***Esempio*** Amo il calcio!

2 Mi piace la musica. ✓

3 Non mi piace la lettura. ✓

4 Insieme al tuo compagno/alla tua compagna di classe, inventa delle frasi codificate a pagina 27.

With a partner, make up your own coded sentences on page 27.

1a Chi parla?
Who's speaking?

Esempio Il mio passatempo preferito è il ciclismo. È fantastico! — Ettore

a Amo il calcio. È favoloso! — Isabella ✓

b Il mio passatempo preferito è la lettura. — pietro ✓

c Mi piace la televisione. — cecilia ✓

1b Scrivi le risposte.
Write a sentence to answer each question.

1 Luca, qual è il tuo passatempo preferito? Mio passatempo preferito è sono i videogiochi.

2 Angela, ti piace la danza? Sì, mi piace la danza molto.

3 Aldo, il nuoto è il tuo passatempo preferito? No, mio passatempo preferito e l'equitazione. ✓

1 Completa la leggenda.
Fill in the key to the map.

Leggenda	
la biblioteca	5
il centro per i giovani	6
il bar	1
il parco	3
il centro sportivo	7
l'agenzia di viaggi	2
il cinema	4
la piscina	8

2 Scrivi una frase per ogni persona A–F.
Write a sentence for each person A–F.

Attenzione!	**Eccezioni!**		
A + il = **al**	**in** città	**in** centro	**a** scuola
A + la = **alla**	**in** banca	**in** ufficio	**a** casa
A + l' = **all'**	**in** farmacia	**in** chiesa	**a** teatro
A + lo = **allo**	**in** pizzeria	**in** piscina	
	in biblioteca		

A Vado al centro per i giovani.

B Vado in piscina.

C vado al parco.

D vado in biblioteca.

E vado a teatro.

F vado all' l'agenzia di viaggi.

1

Completa il cruciverba.
Fill in the grid.

faccio judo · gioco a carte · guardo i video · navigo in Internet · parlo con gli amici · faccio i compiti · ballo · ascolto la musica · incontro gli amici · gioco a ping-pong

gioco A carte
asCoLto la musica
parlo coN gli amici
incontRo gli amici
gioco a Ping pong
guaRdo i video
naviGo in internet
facciO judo
bAllo
faccio I compiti

(Vertical: A L C E N T R O P E R I G I O V A N I)

2

Rispondi alla domanda.
Answer the question.

Cosa fai questo week-end?

Questo week-end io vado in centro, faccio i compiti, vado al centro per i giovani è vado in piscina.

e = and
è = he, she, it is

To say *to the* in Italian, you use *a* + the definite article:

***alla** gelateria* ***al** parco* ***all'**agenzia di viaggi* ***allo** stadio*

But remember, there are exceptions! (See page 41 of the Students' Book.)

Andare – (io) vado, (tu) vai, (lui/lei) va

1 Scrivi una frase per ogni persona

Write a sentence under each picture.

Esempio Vado in piscina. la piscina

1 la casa 

Lei va a casa. ✓

2 il bar 

Tu vai al bar. ✓

3 lo stadio 

Io vado allo stadio. ✓

4 la farmacia 

Lui va in farmacia. ✓ good

2 Scrivi cinque frasi usando le parole da ogni colonna nella tabella.

Make up five sentences using words from each column in the table.

Guardo	a calcetto	a	città.
Incontro	la televisione	alla	casa.
Faccio	gli amici	al	stadio.
Gioco	i compiti	allo	scuola.
	il judo	in	parco.
			biblioteca.

Esempio Faccio i compiti in biblioteca.

1 Guardo la televisione a casa. ✓

2 Incontro gli amici al parco. ✓

3 Gioco a calcetto ~~alla~~ allo stadio.

4 Faccio i compiti a scuola. ✓

5 Gioco il judo in città. ✓

I passatempi ☆	*Hobbies*
gli animali	*animals*
il ballo	*dancing*
il calcio	*soccer*
il ciclismo	*cycling*
il cinema	*cinema*
il computer	*computer*
le corse campestri	*cross-country running*
il disegno	*drawing*
l'equitazione	*horse-riding*
le foto	*photos*
la lettura	*reading*
la musica	*music*
il nuoto	*swimming*
lo skateboard	*skateboarding*
lo sport	*sport*
la televisione	*TV*
i videogiochi	*videogames*

Le opinioni ☆	*Likes and dislikes*
Ti piace . . . ?	*Do you like . . . ?*
Mi piace!	*I like it!*
Amo . . . !	*I love . . . !*
Non mi piace!	*I don't like it!*
Odio . . . !	*I hate . . . !*
È fantastica/fantastico!	*It's fantastic!*
È interessante!	*It's interesting!*
È favolosa/favoloso!	*It's fabulous!*
È eccezionale!	*It's exceptional!*
È noiosa/noioso!	*It's boring!*
Non è divertente.	*It's no fun.*
Qual è il tuo passatempo preferito?	*What's your favourite hobby?*
Il mio passatempo preferito è . . .	*My favourite hobby is . . .*
I videogiochi sono il mio passatempo preferito.	*Video games are my favourite hobby.*

In città ☆	*Places in town*
l'agenzia di viaggi	*travel agency*
la banca	*bank*
la biblioteca	*library*
il bar	*bar/café*
la casa	*house*
il centro	*city centre*
il centro per i giovani	*youth centre*
il centro sportivo	*sports centre*
la chiesa	*church*
il cinema	*cinema*
la città	*city*
la farmacia	*pharmacy*
la gelateria	*ice-cream parlour*
il lago	*lake*
il parco	*park*
la piscina	*swimming pool*
la pizzeria	*pizza parlour*
lo stadio	*stadium*
l'ufficio	*office*

Attività ☆	*Activities*
Gioco a carte.	*I play cards.*
Ballo.	*I dance.*
Guardo i video.	*I watch videos.*
Incontro gli amici.	*I meet up with friends.*
Gioco a ping-pong/a calcetto.	*I play table tennis/table soccer.*
Ascolto la musica.	*I listen to music.*
Navigo in Internet.	*I surf the Internet.*
Parlo con gli amici.	*I talk to friends.*
Faccio judo.	*I do judo.*
Faccio i compiti.	*I do my homework.*

I can . . .	**Students' Book page**	**Me**	**Checked by my partner**
say which hobbies I like	*36–37*	☐	☐
ask which hobbies I dislike		☐	☐
ask about someone's likes	*38–39*	☐	☐
ask about someone's dislikes		☐	☐
say what my favourite hobby is		☐	☐
ask about someone's favourite hobby		☐	☐
give an opinion about ten hobbies		☐	☐
say I am going to the cinema/ city/home, etc.	*40–41*	☐	☐
ask where someone is going		☐	☐
say where someone else is going		☐	☐
say what I do at the weekend	*42–43*	☐	☐
ask someone what they do		☐	☐
ask what someone else is doing		☐	☐
say what someone else does at the weekend		☐	☐
Grammar:			
say 'to the' using *alla, al, allo, all', in* and *a*	*41*	☐	☐
use more verbs with *io, tu* and *lui/lei* (*vado, vai, va,* etc.)	*41*	☐	☐

What I found easy: ________________

What I found difficult and need to go over again: ________________

What I need to learn by heart: ________________

What I liked doing most: ________________

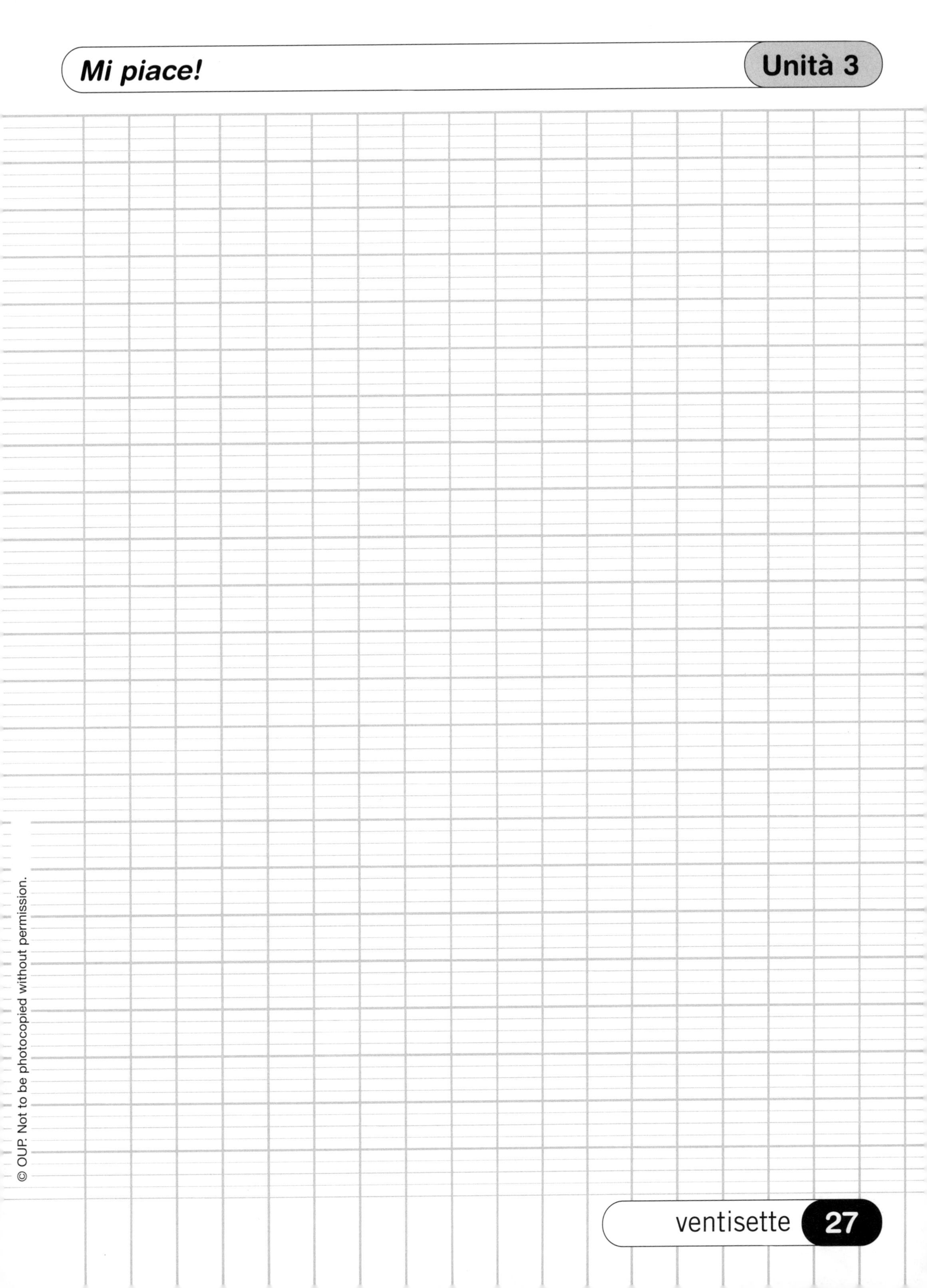

1

È a oppure b?
What is Federico saying? Choose a or b.

1 a È mio padre. ☐
b È mia madre. ☒

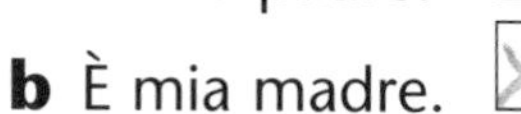

2 a È mia sorella. ☐
b È mia madre. ☒

3 a È mio fratello. ☒
b È mio padre. ☐

4 a È mia sorella. ☒
b È mia nonna. ☐

5 a È mio nonno. ☐
b È mia nonna. ☒

6 a È mia madre. ☐
b È mio nonno. ☒

2

Scrivi.
Write a caption for each picture.

a

la madre

b

il padre

c

il figlio

d

la figlia

e

la nonna

f

il nonno

la madre	il padre	la nonna	il nonno	la figlia	il figlio

3a

Disegna la tua famiglia a pagina 35.
Draw and label a picture of your family on page 35.

b

Inventa una famiglia a pagina 35: la famiglia Magnapizza o la famiglia Barbalunga.
Invent a family and draw and label it on page 35. Try the 'famiglia Magnapizza', the 'famiglia Barbalunga' or make up a name of your own.

un cugino → mio cugino	una cugina → mia cugina
i cugini → i miei cugini	le cugine → le mie cugine

1 Completa.

Write mio, mia, i miei or le mie in the gaps to complete the sentences.

Esempio *Mia cugina si chiama Chiara.*

a È ______ padre.

b È ______ madre.

c ______ ______ genitori sono di Milano.

d ______ sorella si chiama Sandra.

e ______ ______ cugine sono simpatiche.

f Abito con ______ ______ nonni.

g ______ cugino ha dieci anni.

h Ci sono anche ______ ______ zie.

2 Scrivi.

Write five sentences for Serena.

Esempio *Mio padre si chiama Daniele.*

a Mio zio si chiama ______________________.

b Mia madre ______________________.

c Mia nonna ______________________.

d ______________________.

e ______________________.

1

Completa.

*Complete the crosswords by writing in the missing vowels (*a, e, i, o, u*).*

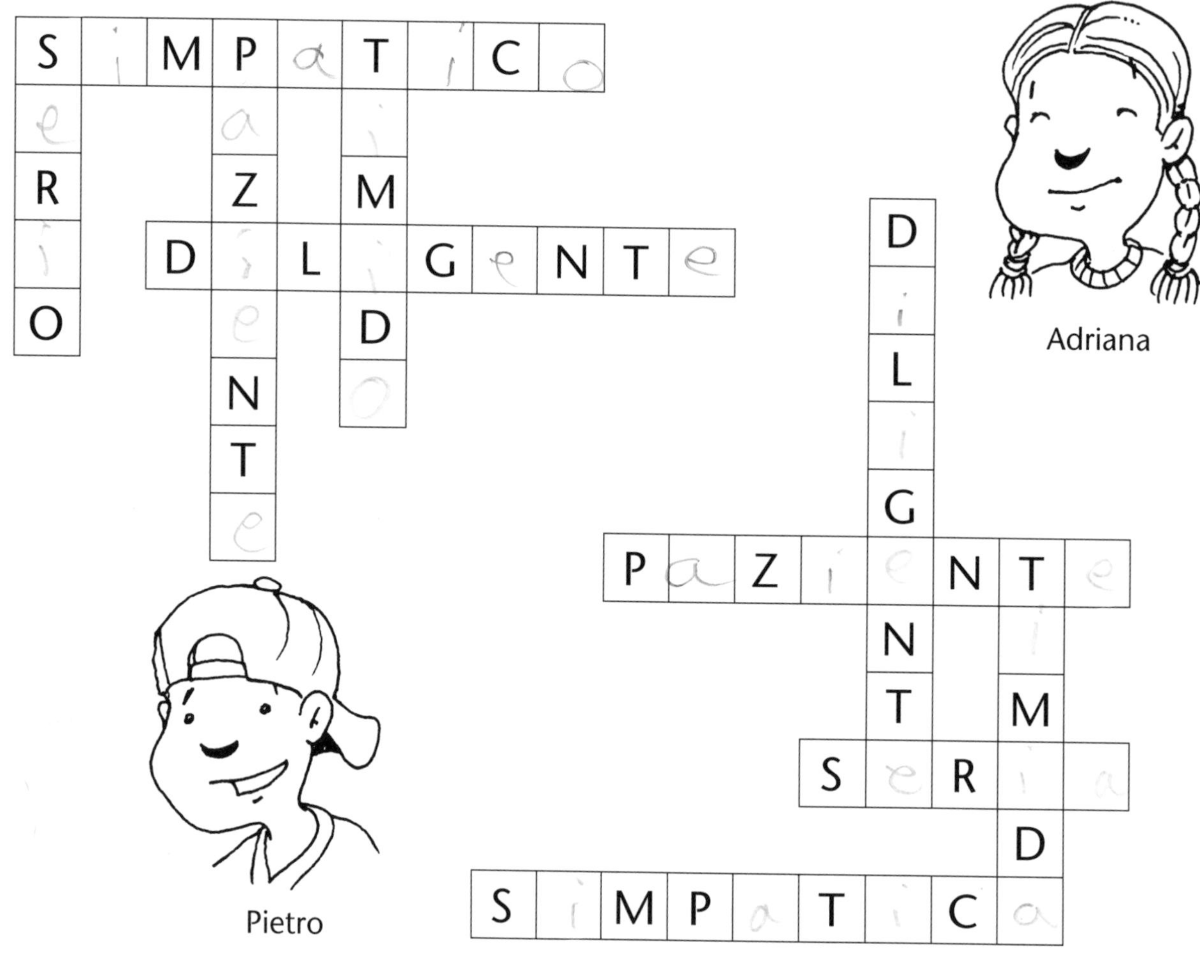

Adriana

Pietro

2

Descrivi Pietro e Adriana.

Use the adjectives above to write descriptions of Pietro and Adriana.

Pietro è simpatico.

È ______________________.

È ______________________.

______________________.

______________________.

Adriana è simpatica.

È ______________________.

È ______________________.

______________________.

______________________.

3

E tu? Scrivi degli aggettivi a pagina 35.

Write an adjective for each letter of your name on page 35.

Esempio

		T	I	M	I	D	O		
	D	I	L	I	G	E	N	T	E
S	I	M	P	A	T	I	C	O	

In Italian, adjectives change to match the word they describe.
There are two types of adjectives: the ones that have four endings:

	singular	plural
masculine words	timido	timidi
feminine words	timida	timide

and the ones that have two endings:

	singular	plural
masculine words	interessante	interessanti
feminine words	interessante	interessanti

1

Maschile o femminile?
Masculine or feminine?
a *Write the masculine words alongside Bruno.*
b *Write the feminine words alongside Annabella.*

seria
simpatica
coraggioso
divertente
non è aggressiva
non è timido
intelligente
simpatico

Bruno il bulldog

Annabella l'anatra

2

Completa la tabella con le parole al femminile e le parole in inglese.
Here are some adjectives. Read the Flashback at the top of the page and work out the singular feminine forms. Guess the meaning in English, too. Fill in the table.

Esempio

masculine	feminine	English
grande	grande	big, grand
generoso		
eccellente		
nervoso		
delizioso		
indipendente		

1

Guarda Marinella. Correggi la descrizione.
Look at Marinella. Cross out the wrong words in the description.
Esempio *È alta/bassa.*

a È magra / grassa.

b È bionda / castana.

c Ha i capelli corti / lunghi.

d Ha i capelli ricci / lisci.

Marinella

2

Leggi le descrizioni e scrivi i nomi.
These teenagers are applying for a job as extras in a film. Their photos have become separated from the descriptions. Match them up and write in the right name under each photo.

Gianpaolo

Annamaria

Mariarosa

Andrea

Annamaria è molto alta e abbastanza grassa. È castana e ha i capelli ricci.

Andrea è basso. È magro. È rosso e ha i capelli lunghi e lisci.

Gianpaolo è molto alto e abbastanza grasso. È castano e ha i capelli corti.

Mariarosa è abbastanza bassa e abbastanza magra. È bionda e ha i capelli molto corti.

3

Descrivi Alessandro a pagina 35.
Write a description of Alessandro on page 35.
Esempio *Alessandro è basso e abbastanza . . . È . . . Ha i capelli . . .*

La mia famiglia ☆	*My family*
mio padre	*my father*
mio fratello	*my brother*
mio nonno	*my grandfather*
mio cugino/mia cugina	*my cousin*
mio zio	*my uncle*
mia madre	*my mother*
mia sorella	*my sister*
mia nonna	*my grandmother*
mia zia	*my aunt*
i miei genitori	*my parents*
i miei nonni	*my grandparents*
le mie cugine	*my cousins* (f)
le mie zie	*my aunts*
mio figlio	*my son*
mia figlia	*my daughter*

Le descrizioni ☆	*Descriptions*
molto	*very*
abbastanza	*quite*
alto/alta	*tall*
basso/bassa	*short*
grasso/grassa	*fat*
magro/magra	*thin*
È rosso.	*He has red hair.*
È rossa.	*She has red hair.*
biondo/bionda	*blond/blonde*
castano/castana	*brown* (hair)
(Lui) ha i capelli lunghi.	*He has long hair.*
(Lei) ha i capelli lunghi.	*She has long hair.*
i capelli corti	*short hair*
i capelli lisci	*straight hair*
i capelli ricci	*curly hair*

Come si chiamano? ☆	*What are they called?*
Mio padre si chiama . . .	*My father is called . . .*
Mia madre si chiama . . .	*My mother is called . . .*
Ha . . . anni.	*He's . . . years old.*
Ha . . . anni.	*She's . . . years old.*

Le personalità ☆	*Personalities*
Sono . . .	*I am . . .*
(Lui) è . . .	*He is . . .*
(Lei) è . . .	*She is . . .*
simpatico/simpatica	*nice*
intelligente	*intelligent*
coraggioso/coraggiosa	*brave*
divertente	*funny*
paziente	*patient*
serio/seria	*serious*
timido/timida	*shy*
diligente	*hardworking*
aggressivo/aggressiva	*aggressive*
grande	*big*
generoso/generosa	*generous*
eccellente	*excellent*
nervoso/nervosa	*nervous*
indipendente	*independent*
delizioso/deliziosa	*delicious*

I can . . .	**Students' Book page**	**Me**	**Checked by my partner**
ask who someone is	*50–51*	☐	☐
identify the members of my family		☐	☐
give the names of the people in my family		☐	☐
give the ages of the people in my family	*53*	☐	☐
say where people live		☐	☐
ask other people's names and ages		☐	☐
describe my character	*54–55*	☐	☐
describe someone else's character		☐	☐
ask about someone's character		☐	☐
say what I look like	*56–57*	☐	☐
say what someone else looks like		☐	☐
describe my hair colour and style		☐	☐
ask what someone's hair is like		☐	☐
Grammar:			
use *mio, mia, i miei, le mie*	*52*	☐	☐
use *lei/lui* + verb	*54*	☐	☐
use masculine and feminine forms of adjectives	*55*	☐	☐

What I found easy: ______________________________

What I found difficult and need to go over again: ______________________________

What I need to learn by heart: ______________________________

What I liked doing most: ______________________________

Allesandro è abbastanza alto
e abbastanza magro. È biondo
e ha i capelli corti.

1

Unisci.

Match each picture to the right illustration.

a un ostello [4]

b una villetta [ ]

c un camper [ ]

d un appartamento [ ]

e una città [ ]

2

Scrivi delle frasi.

Follow the lines and write out the sentences.

Esempio **a** *Joelle vive con sua nonna in un appartamento.*

b ______________________________

c ______________________________

d ______________________________

e ______________________________

f ______________________________

3

E tu? Dove abiti e con chi vivi? *Where do you live and who do you live with?*

Abito ______________________________

____

____

1 Completa.
Interview your partner and fill in the questionnaire.
Esempio *Abiti in una villetta?*
Nella tua casa c'è una cucina?

Questionario

Intervistatore/Intervistatrice ______________________

Data ______________________

Persona intervistata ______________________

Indirizzo ______________________

	sì	no
Villetta	☐	☐
Appartamento	☐	☐
Stanze:		
una cucina	☐	☐
una sala da pranzo	☐	☐
un soggiorno	☐	☐
un bagno	☐	☐
uno studio	☐	☐
quante camere da letto?	1 ☐ 2 ☐	3 ☐ 4+ ☐
una cantina	☐	☐
un giardino	☐	☐
un cortile	☐	☐

2 Riassumi l'intervista. Scrivi un paragrafo a pagina 43.
Summarise the interview. Write a short paragraph on page 43.
Esempio *Jamie abita a 115 Mimosa Road, Richmond. Abita in una villetta. Nella sua casa c'è una cucina, . . . Non c'è . . .*

1 Trova dieci oggetti nella camera da letto di Giulietta.
Find ten objects from Giulietta's bedroom in the word search.

2 E tu? Che cosa hai nella tua camera da letto?
What do you have in your bedroom?

Nella mia camera da letto ho ______________________________

____

____

1 Scrivi delle frasi nelle nuvolette.
Fill in the speech bubbles. (Look at the vocabulary list on page 41 of this workbook to help you.)
Esempio *Parlo con il mio gatto.*

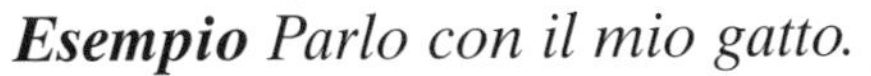

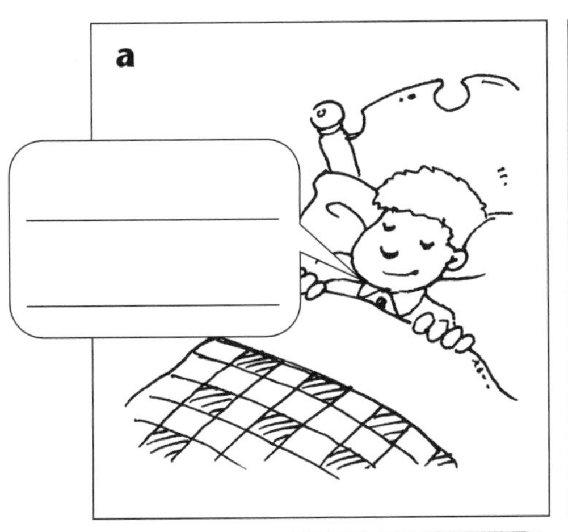

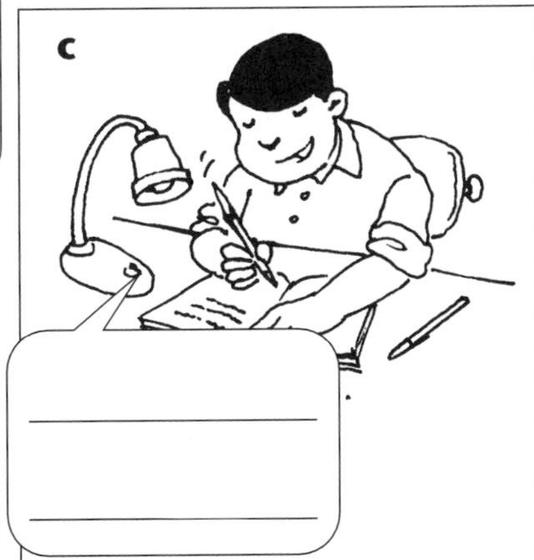

2 E tu? Che cosa fai nella tua camera da letto?
What do you do in your bedroom? Write four or five sentences on page 43.

Flashback

lo zaino → *il mio zaino* (my backpack)
la camera → *la mia camera* (my bedroom)
i libri → *i miei libri* (my books)
le caramelle → *le mie caramelle* (my sweets)

	masculine singular	feminine singular	masculine plural	feminine plural
my	il mio	la mia	i miei	le mie
your	il tuo	la tua	i tuoi	le tue
his/her	il suo	la sua	i suoi	le sue

1a Completa.
Fill in the missing words (the first letter of each word is given to help you).

Joelle: Dov'è il t_____ zaino, Luca?

Luca: Il m_____ zaino?

Joelle: Sì, il t_____ zaino per la scuola! È lunedì. Hai le t_____ scarpe da tennis per educazione fisica e la t_____ calcolatrice per matematica?

Luca: Accidenti, no! Le m_____ scarpe da tennis sono nello zaino e il m_____ zaino è nella m_____ camera. E la m_____ calcolatrice è sulla m_____ scrivania con i m_____ libri di matematica. Aiuto!

1b Con un compagno/una compagna di classe recitate il dialogo.
Act out the dialogue with a partner.

2 Che cosa ha Joelle nel suo zaino?
What has Joelle got in her backpack? Finish the sentence below.

- un gatto
- dei pennarelli
- delle scarpe da tennis
- un libro
- una calcolatrice
- delle cassette
- una riga
- degli astucci

Nel suo zaino, Joelle ha le sue scarpe da tennis, il suo gatto, __________

____

____

____

____

Dove abiti? ☆	***Where do you live?***
Lei/Lui abita . . .	*He/She lives . . .*
in un appartamento	*in a flat*
in una villetta	*in a house*
in un ostello	*in a hostel*
in un camper	*in a campervan*
in città	*in the city*

Con chi vivi? ☆	***Who do you live with?***
Vivo con mia nonna.	*I live with my grandmother.*
Vive con suo zio.	*He/She lives with his/her uncle.*
Vive con suo cugino.	*He/She lives with his/her cousin.* (m)
Vive con sua cugina.	*He/She lives with his/her cousin.* (f)
Vive con la sua famiglia.	*He/She lives with his/her family.*
Vive con sua madre.	*He/She lives with his/her mother.*

Le stanze di una casa ☆	***Rooms of a house***
il bagno	*bathroom*
la sala da pranzo	*dining room*
la camera da letto	*bedroom*
la cucina	*kitchen*
lo studio	*study*
il soggiorno	*lounge*
la cantina	*cellar*
il cortile	*courtyard*
il giardino	*garden*
Quante camere da letto?	*How many bedrooms?*

Nella mia camera da letto ☆	***In my room***
Che cosa fai nella tua camera da letto?	*What do you do in your room?*
Ascolto la musica.	*I listen to music.*
Parlo con il mio gatto.	*I talk to my cat.*
Osservo il cielo.	*I look at the sky.*
Dormo.	*I sleep.*
Leggo.	*I read.*
Faccio i compiti.	*I do my homework.*
Guardo la televisione.	*I watch television.*
Mangio le caramelle.	*I eat sweets.*
Gioco a basket.	*I play basketball.*

La mia camera ☆	***My room***
Che cosa hai nella tua camera?	*What have you got in your room?*
Nella mia camera, ho . . .	*In my room, I've got . . .*
un armadio	*a wardrobe*
una sedia	*a chair*
un cassettone	*a chest of drawers*
una libreria	*a bookcase*
una lampada	*a lamp*
un letto	*a bed*
una scrivania	*a desk*
un cuscino	*a cushion*
un tappeto	*a rug*
un computer	*a computer*
uno scaffale	*a shelf*

I can . . .	Students' Book page	Me	Checked by my partner
describe where I live	*62–63*	☐	☐
describe where someone else lives		☐	☐
name the rooms in the home	*64–65*	☐	☐
say where different rooms are		☐	☐
ask about the rooms in someone's home		☐	☐
describe rooms		☐	☐
name eleven items of bedroom furniture	*66–67*	☐	☐
say what I have in my room		☐	☐
ask where things are		☐	☐
say where things are		☐	☐
name ten colours		☐	☐
ask what colour things are		☐	☐
say what colours things are		☐	☐
ask someone what they do in their room	*68–69*	☐	☐
name thirteen things I do in my room		☐	☐
Grammar:			
use *–ere* verbs	*63*	☐	☐
use adjectives to describe things	*65*	☐	☐
use prepositions to describe position	*67*	☐	☐
use *il mio, la mia, i miei, le mie*	*69*	☐	☐
use *il tuo, la tua, i tuoi, le tue*		☐	☐
use *il suo, la sua, i suoi, le sue*		☐	☐

What I found easy: ______________________________

What I found difficult and need to go over again: ______________________________

What I need to learn by heart: ______________________________

What I liked doing most: ______________________________

1 Vero (✔) o falso (✗)?
True or false? Tick or cross the boxes.
Esempio *The father wants an orange juice.* ✔

a The mother is thirsty. ☐
b The grandfather wants a Coke. ☐
c The grandmother wants a cup of tea. ☐
d The father wants a lemonade. ☐
e The mother wants a glass of milk. ☐

2 Chiedi delle bevande.
Ask for these drinks. Write a sentence in each speech bubble.

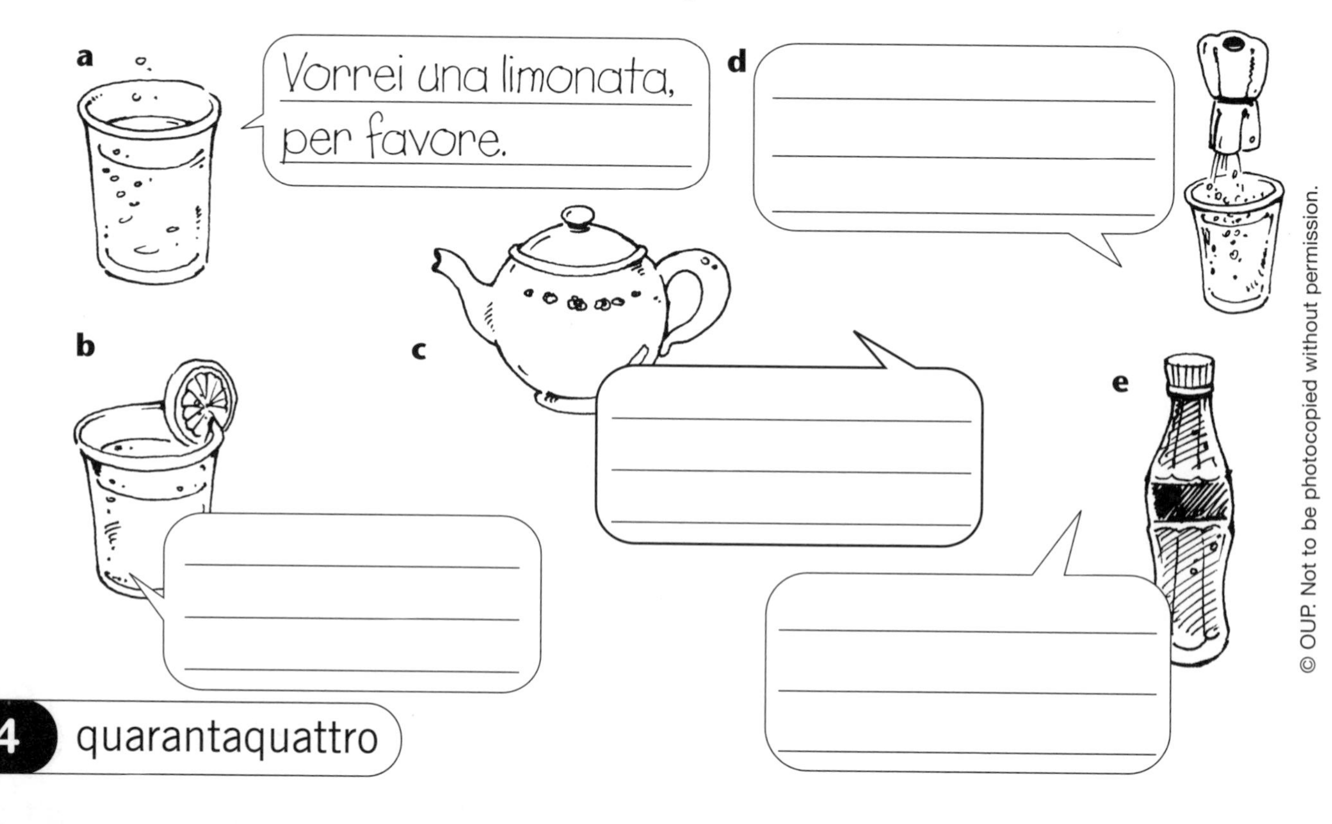

1

Scrivi i nomi dei cibi.
Write in the names of the items of food and drink in the fridge.

a del latte

b ______

c ______

d ______

e ______

f ______

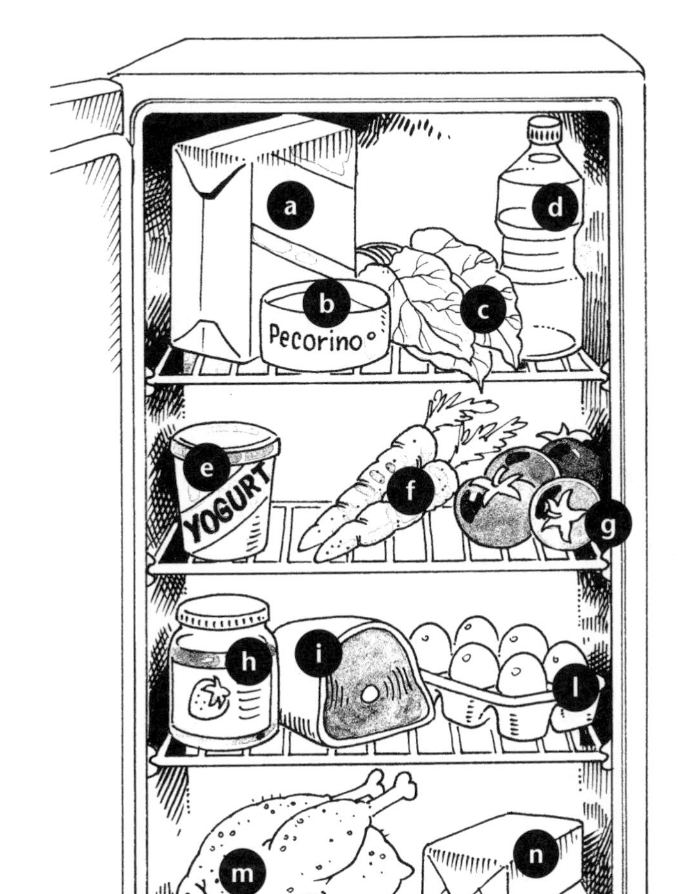

g ______

h ______

i ______

l ______

m ______

n ______

del burro	del pollo	del prosciutto	del formaggio
degli spinaci	dell'acqua minerale	della marmellata	delle uova
dello yogurt	dei pomodori	delle carote	del latte

2

Cosa c'è nel tuo frigo? Disegna un frigo a pagina 51. Scrivi i nomi dei cibi e delle bevande.
Draw and colour in your own fridge on page 51. Write the names of the foods and drink items.

1

Unisci le domande alle risposte.
Match the questions and answers.

Domande

1 A che ora fai colazione?

2 Cosa mangi per colazione?

3 Cosa bevi?

4 Dove mangi a mezzogiorno?

5 A che ora è la cena?

6 Ti piacciono i dolci?

Risposte

a Mangio alla mensa della scuola.

b Mangio del pane tostato con la marmellata.

c Alle otto.

d Faccio colazione alle sette.

e Sì, mi piacciono molto.

f Bevo del tè.

1	*d*
2	
3	
4	
5	
6	

2

Vero (✔) o falso (✗)?
True (✔) or false (✗)? Look at the picture and then tick or cross the boxes.

a Marco fa prima colazione. ✔

b Fa prima colazione alle sette. ☐

c Mangia del pane tostato con la marmellata. ☐

d Mangia dei biscotti. ☐

e Beve della cioccolata calda. ☐

f Beve del tè. ☐

3

E tu? Rispondi alle domande 1–6 dell'attività 1.
Give your own answers to questions 1–6 in activity 1.

1 ______________________________

2 ______________________________

3 ______________________________

4 ______________________________

5 ______________________________

6 ______________________________

Flashback

The Italian word for *some* or *any* depends on the noun that follows:

	singular	plural
masculine words	del	dei
	dello	degli
	dell'*	degli
feminine words	della	delle
	dell'*	delle

But remember that in a negative sentence, *some* or *any* is usually dropped in Italian:

Non c'è pane. Non ci sono uova. Non c'è latte.

*Use *dell'* in front of masculine and feminine words that begin with a vowel or *h*.

1a Completa la lista della spesa.

Write out the shopping list using del, dello, dell', della, dei, degli *or* delle.

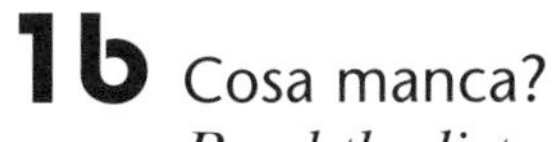

il burro

le carote

il pollo

le mele

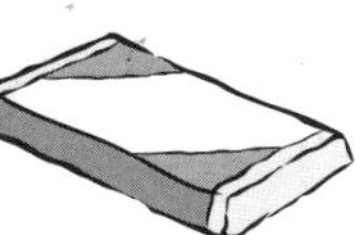

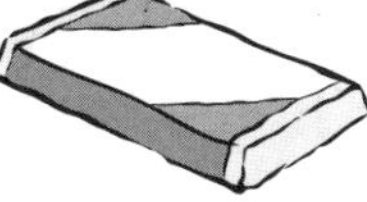

il cioccolato

il latte

la marmellata

le uova

l'acqua minerale

i pomodori

1b Cosa manca?

Read the list above and look at the shopping basket. What's missing?

Esempio *Non c'è burro.*

1

Unisci e scrivi.
Choose the right description for each picture and write it in.

a 

b 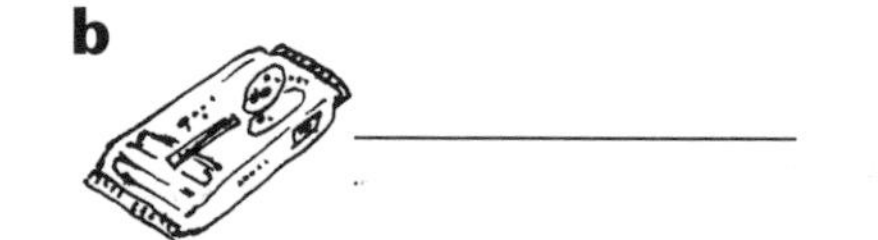

c 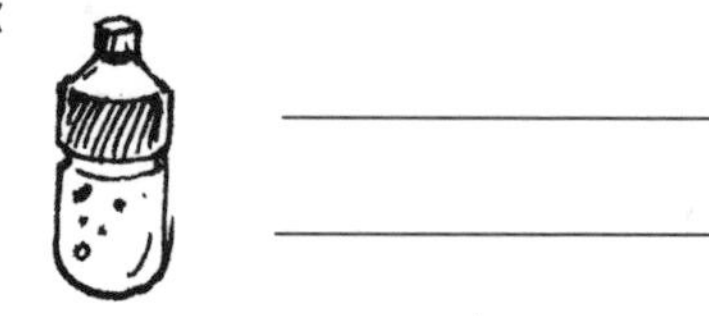

d 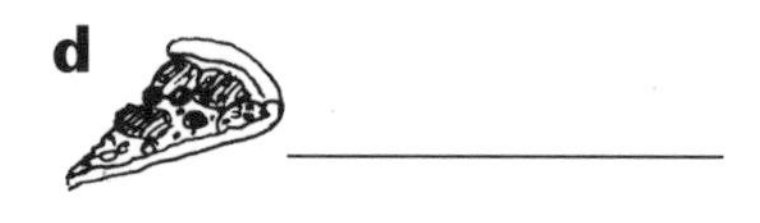

e 

f 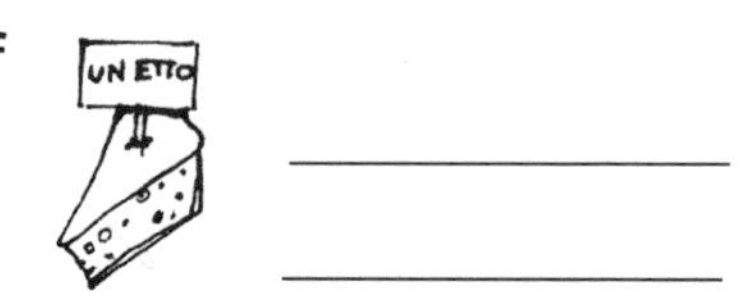

un pacchetto di biscotti	una bottiglia di acqua	un etto di formaggio
una scatoletta di tonno	un pezzo di pizza	un chilo di pomodori

2

Vero (✔) o falso (✗)?
Look at the pictures and then tick or cross the boxes.

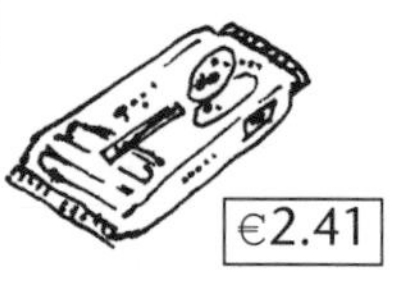

a Una bottiglia di acqua minerale costa un euro e sessanta. ☐

b Un pacchetto di biscotti costa due euro e quarantré. ☐

c Un etto di formaggio costa cinque euro e venticinque. ☐

d Un chilo di pomodori costa quattro euro e sessantacinque. ☐

e Un pezzo di pizza costa due euro e quaranta. ☐

3

Scrivi i prezzi.
Write the prices on the labels.

a 

Una bottiglia di Coca-Cola costa tre euro e settantatré.

b 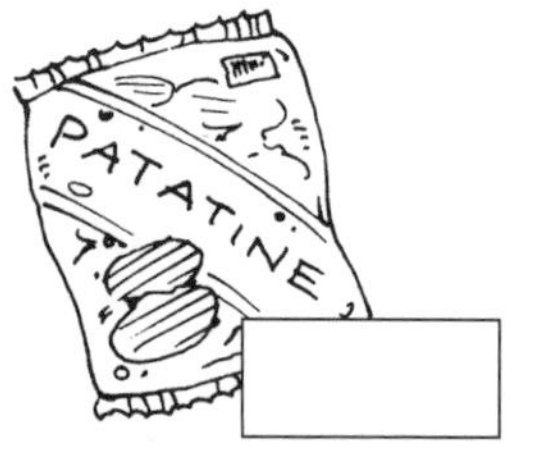

Un pacchetto di patatine costa un euro e venti.

c 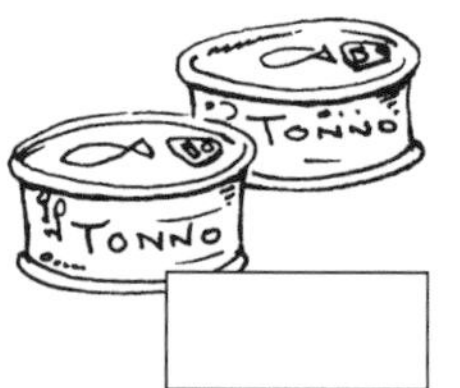

Due scatolette di tonno costano cinque euro e novantacinque.

d 

Un chilo di pomodori costa quattro euro e settanta.

Le bevande ☆	***Drinks***
Vorrei . . .	*I would like . . .*
un succo d'arancia	*an orange juice*
una limonata	*a lemonade*
un bicchiere di acqua	*a glass of water*
una Coca	*a Coke*
un caffè	*a coffee*
un tè al latte	*a tea with milk*
un frappè	*a milk-shake*
una cioccolata calda	*a hot chocolate*
una granita alla menta	*a mint granita*
Ho sete.	*I'm thirsty.*

I pasti ☆	***Meals***
la (prima) colazione	*breakfast*
il pranzo	*lunch*
la merenda	*snack*
la cena	*dinner*
Cosa mangi . . . ?	*What do you eat . . . ?*
Cosa bevi . . . ?	*What do you drink . . . ?*
la mattina	*in the morning*
a mezzogiorno	*at midday/lunchtime*
nel pomeriggio	*in the afternoon*
alle quattro	*at four o'clock*
la sera	*in the evening*
Prendo/mangio . . .	*I have/I eat . . .*
Bevo . . .	*I drink . . .*
Prende/mangia . . .	*He/She/It has/eats . . .*
Beve . . .	*He/She/It drinks . . .*

Al supermercato ☆	***At the supermarket***
un pacchetto di biscotti/di patatine/di spaghetti/di zucchero	*a packet of biscuits/chips/spaghetti/sugar*
un bottiglia di limonata/di Coca-Cola	*a bottle of lemonade/Coca-Cola*
una bottiglia d'acqua minerale	*a bottle of mineral water*
due fette di prosciutto/di salame	*two slices of ham/salami*
una scatoletta di piselli/di tonno	*a tin of peas/tuna*
una lattina d'aranciata	*a can of orangeade*
un etto (100 grammi) di ricotta	*100 grams of ricotta*
un chilo di banane	*a kilo of bananas*
mezzo chilo di pomodori	*half a kilo of tomatoes*
un pezzo di pizza/di formaggio	*a piece of pizza/of cheese*
Quanto costa (la pizza)?	*How much is (the pizza)?*
Quanto costano (i pomodori)?	*How much are (the tomatoes)?*
Costa tre euro.	*It costs three euros.*
Costano cinque euro al chilo.	*They cost five euros a kilo.*
Costano cinque euro in tutto.	*That comes to five euros altogether.*
Quanto?	*How much?*
Quando?	*When?*
Come?	*How?*
Chi?	*Who?*
Che?	*What?*
Cosa?	*What?*
Quale?	*Which?*

I can . . .	**Students' Book page**	**Me**	**Checked by my partner**
say I'm thirsty	*74–75*	☐	☐
name six drinks		☐	☐
say what I'd like to drink		☐	☐
ask someone what they want		☐	☐
name nine food items	*76–77*	☐	☐
ask for food items		☐	☐
explain what people eat and drink		☐	☐
say the names of different meals	*78–79*	☐	☐
say what I eat and drink at each meal		☐	☐
say what time I have my meals		☐	☐
say what there is		☐	☐
say what there isn't		☐	☐
say what I'm going to buy	*80–81*	☐	☐
describe quantities and packaging (*un pacchetto di patatine*, etc.)		☐	☐
count to 100	*82*	☐	☐
ask how much something costs		☐	☐
say how much something costs		☐	☐
Grammar:			
use *del, dello, dell', della, degli* and *delle* to mean *some* or *any*	*77*	☐	☐
drop *del, della, dello, dell', degli* and *delle* in negative sentences	*79*	☐	☐

What I found easy: ______________________________

What I found difficult and need to go over again: ______________________________

What I need to learn by heart: ______________________________

What I liked doing most: ______________________________

1a Qual è la parte del corpo? Scrivi i numeri.
Which part of the body is which? Write down the numbers.

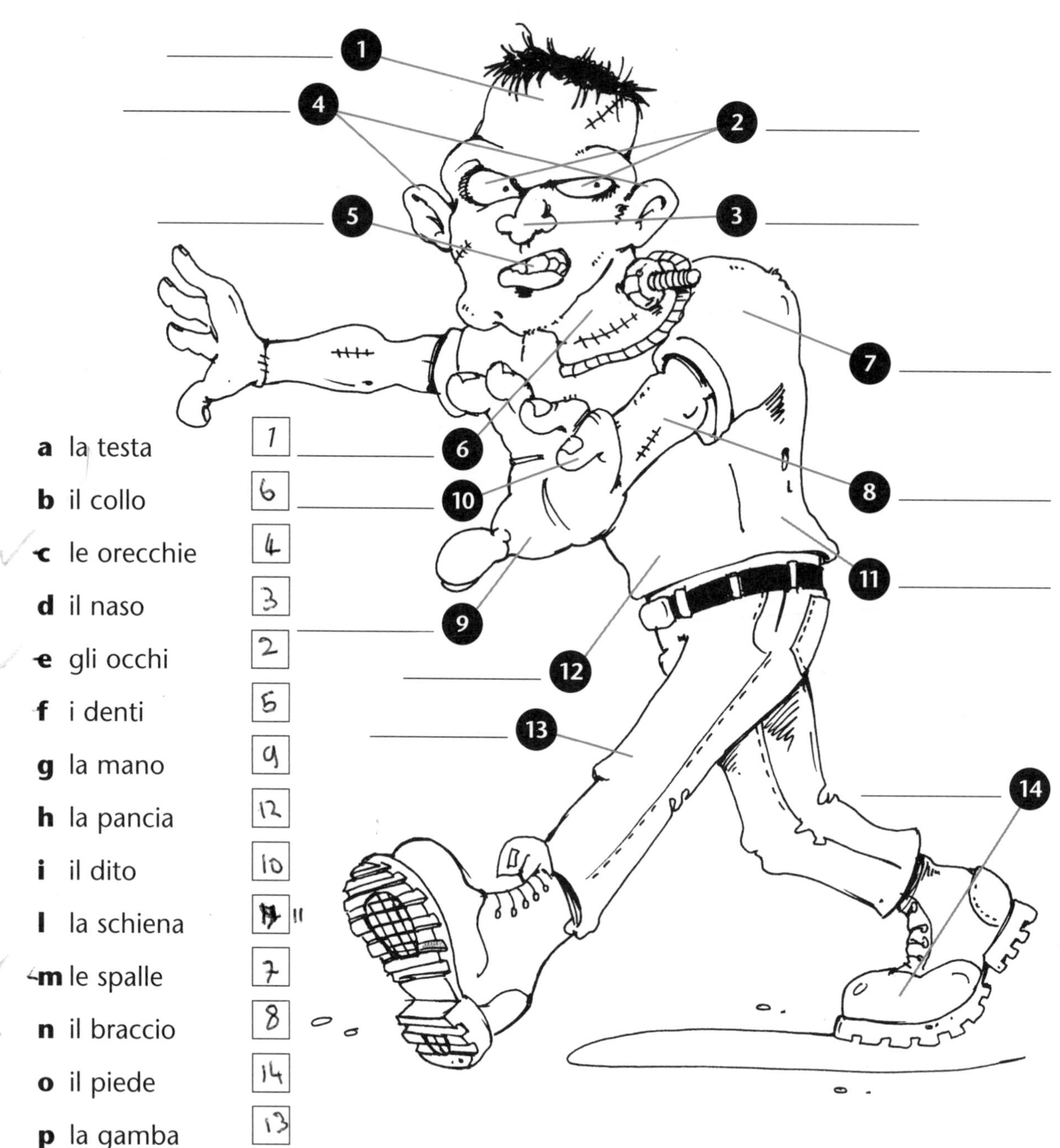

a la testa
b il collo
c le orecchie
d il naso
e gli occhi
f i denti
g la mano
h la pancia
i il dito
l la schiena
m le spalle
n il braccio
o il piede
p la gamba

1b Copia le parole negli spazi.
Copy the words in the right places.

2 Disegna un mostro a pagina 59 e scrivi il nome delle parti del corpo.
Draw a monster on page 59 and label the parts of the body.

1

Completa le nuvolette.
Copy the sentences into the right speech bubbles.

1

2

3

4

5

6

7

8

Ho mal di testa.	Ho mal di pancia.	Ho mal di piedi.
Ho mal d'orecchia.	Ho freddo.	Ho sete. ✓
Ho caldo.	Ho voglia di dormire.	

1

Leggi. Fa bene alla salute (✔) o fa male alla salute (✗).

Read about Carla and tick or cross the boxes according to whether you think it is good for her health or bad for her health.

Bevo molta acqua.

Sto troppo al sole.

Dimagrisco troppo.

Seguo una dieta sana.

Non dormo abbastanza.

Finisco la verdura.

Esco tutte le sere.

Faccio sport.

2a

E tu? Cosa fai? Scrivi delle frasi.

What about you? Write down sentences saying whether you do the following things or not.

a

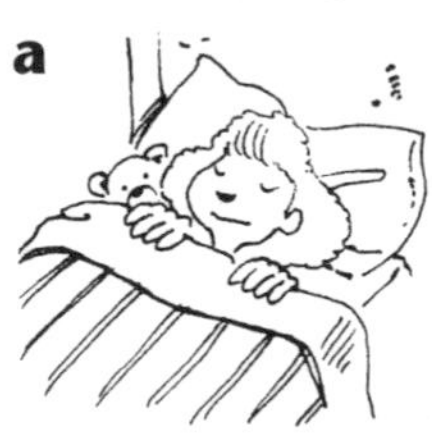

Dormo abbastanza.

b

c

d

b

Il tuo compagno/la tua compagna di classe scrive fa bene alla salute o fa male alla salute a pagina 59.

Your partner reads the sentences and writes 'fa bene alla salute' or 'fa male alla salute' on page 59, according to whether he/she thinks that it is good or bad for your health.

1

Unisci i simboli alle parole.
Match the symbols and the words.

1 

2

3

4

- **a** il tennis
- **b** il tiro con l'arco
- **c** l'equitazione
- **d** il calcio
- **e** il ciclismo
- **f** l'hockey su ghiaccio
- **g** la pallacanestro
- **h** l'atletica

5 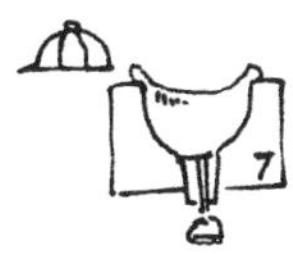

6 

7 

8 

1	*d*
2	
3	
4	
5	
6	
7	
8	

2

Completa le risposte.
Fill in the answers.

Che sport fanno?

1 ______________________
____

2 ______________________
____

3 ______________________
____

4 ______________________
____

5 ______________________
____

6 ______________________
____

3

E tu? Che sport fai? Scrivi la tua risposta a pagina 59.
What sports do you play? Write your answer on page 59.

Finire

io fin**isc**o	noi finiamo
tu fin**isc**i	voi finite
lei/lui fin**isc**e	loro fin**isc**ono

Un altro verbo come *finire* è *capire.*

1 Completa con i verbi *finire* e *capire.*
Fill in the missing words using the verbs finire *and* capire *(the first letter of each verb is given to help you).*

1 Io c________ la professoressa.

2 Joelle non f________ sempre la verdura.

3 Loro c________ che seguire una dieta sana fa bene alla salute.

4 Noi f________ i compiti a casa.

5 Voi c________ cosa dico?

6 Quando tu f________, torna in classe.

Flashback

Dormire

io dormo	noi dormiamo
tu dormi	voi dormite
lei/lui dorme	loro dormono

Un altro verbo come *dormire* è *seguire.*

2 Completa con i verbi *dormire* e *seguire.*
Fill in the missing words using the verbs dormire *and* seguire *(the first letter of each verb is given to help you).*

1 Paolo non d________ abbastanza.

2 Loro s________ i tuoi consigli?

3 Noi d________ troppo!

4 Tu d________ in una camera da letto molto grande.

5 Voi non s________ una dieta sana.

6 Io s________ la mia squadra di calcio.

3 Trova le forme dei verbi *uscire* e *dire.*
Find all the different forms of uscire *and* dire.

Uscire

io esco	noi usciamo
tu esci	voi uscite
lui/lei esce	loro escono

Dire

io dico	noi diciamo
tu dici	voi dite
lui/lei dice	loro dicono

O	N	D	M	G	O	C	I	D	U	E
Q	S	L	I	N	S	C	R	I	S	R
E	C	D	O	C	R	F	C	C	U	F
C	G	C	O	U	I	N	I	I	E	Z
S	S	M	E	M	R	A	D	O	U	N
E	O	H	I	B	Q	P	M	B	H	E
O	N	E	S	C	O	A	A	O	C	T
A	O	N	O	O	I	P	A	H	N	I
E	C	L	H	C	L	D	I	T	E	C
D	I	A	S	O	C	N	D	E	P	S
I	D	U	M	E	C	I	D	A	E	U

Le parti del corpo ☆	***Parts of the body***
il braccio	*arm*
il collo	*neck*
i denti	*teeth*
il dito	*finger*
la schiena	*back*
le spalle	*shoulders*
la gamba	*leg*
la mano	*hand*
il naso	*nose*
le orecchie	*ears*
il piede	*foot*
la testa	*head*
la pancia	*stomach*
gli occhi	*eyes*

Sto male ☆	***I don't feel well***
Ho fame.	*I'm hungry.*
Ho sete.	*I'm thirsty.*
Ho caldo.	*I'm hot.*
Ho freddo.	*I'm cold.*
Ho voglia di dormire.	*I feel sleepy.*
Ho mal d'orecchia.	*I've got an earache.*
Ho mal di testa.	*I've got a headache.*
Ho mal di piedi.	*I've got sore feet.*
Ho mal di pancia.	*I've got a stomach ache.*

Fa bene/male alla salute. ☆	***It's good/bad for your health.***
Seguo una dieta sana.	*I follow a healthy diet.*
Finisco la verdura.	*I finish my vegetables.*
Faccio sport.	*I play sport.*
Bevo molta acqua.	*I drink a lot of water.*
Dimagrisco troppo.	*I lose too much weight.*
Esco tutte le sere.	*I go out every night.*
Sto troppo al sole.	*I stay in the sun too long.*
Non dormo abbastanza.	*I don't sleep enough.*

Gli sport ☆	***Sports***
il calcio	*soccer/football*
il ciclismo	*cycling*
il tennis	*tennis*
il tiro con l'arco	*archery*
l'equitazione	*horse-riding*
l'atletica	*athletics*
l'hockey su ghiaccio	*ice-hockey*
la pallacanestro	*basketball*

Il mio vocabolario

Italiano	Inglese

I can . . .	**Students' Book page**	**Me**	**Checked by my partner**
name seventeen parts of the body	*88–89*	☐	☐
ask how someone feels		☐	☐
say how I feel		☐	☐
ask what is wrong	*90–91*	☐	☐
say where it hurts		☐	☐
say what is wrong with me		☐	☐
say I feel in shape	*92–93*	☐	☐
discuss what's good/bad for my health		☐	☐
say I understand/don't understand		☐	☐
name eight sports	*94–95*	☐	☐
ask what sports are available		☐	☐
say what sports are available		☐	☐
ask what sports someone does		☐	☐
say what sports I do		☐	☐
Grammar:			
use irregular plural nouns	*89*	☐	☐
use the prepositions *in* and *da*	*90*	☐	☐
use *-ire* verbs	*93*	☐	☐
use the irregular verbs *uscire* and *dire*	*95*	☐	☐

What I found easy: ______________________________

What I found difficult and need to go over again: ______________________________

What I need to learn by heart: ______________________________

What I liked doing most: ______________________________

1
io finisco
tu finisci
lui/lei finisce
noi finiamo
voi finite
loro finiscono

2
io dormo
tu dormi
lui/lei dorme
noi dormiamo
voi dormite
loro dormono

3
io esco
tu esci
lui/lei esce
noi usciamo
voi uscite
loro escono

4
io dico
tu dici
lui/lei dice
noi diciamo
voi dite
loro dicono

Unità 8 100 + 101

Cosa vuoi fare questo fine settimana? *Un fine settimana a Milano*

1a
Leggi il messaggio di Giovanni.
Read Giovanni's message.

> *Patrizia ha scritto il 23 luglio 2004 alle 12.36:*
>
> *>>Ciao Giovanni. Cosa vuoi fare questo week-end?*
>
> *Ciao Patrizia!*
>
> *Sabato mattina vado in piscina. Sabato pomeriggio faccio la spesa con mia madre. Sabato sera voglio uscire con i miei amici. Domenica mattina voglio dormire, poi faccio i compiti. Domenica pomeriggio voglio andare a trovare i nonni e voglio guardare il calcio alla televisione. Domenica sera non so.*
> *Giovanni*

1b
Numera i disegni nell'ordine del messaggio.
Number the drawings in the order mentioned in the message.

a  ☐

b  ☐

c  ☐

d  ☐

e  ☐

f  ☐

g  ☐

h  ☐

2a
Guarda l'agenda di Patrizia. Descrivi il suo week-end.
Look at Patrizia's diary. Describe her plans for the weekend.
Esempio *Sabato mattina fa i compiti.*
Sabato pomeriggio . . .

Sabato	
mattino	*compiti*
pomeriggio	*amici*
sera	*Tv*
Domenica	
mattina	*dormo!*
pomeriggio	*cinema*
sera	*???*

____

____

____

____

____

____

2b
Quando Giovanni esce con Patrizia?
When can Giovanni meet Patrizia? ______________________________

3
E tu? Descrivi i tuoi piani per il week-end a pagina 67.
Describe your plans for the weekend on page 67.

1 Unisci. *Match the symbols and the names.*

1	2	3	4	5	6	7	8	9	10
e									

1 2 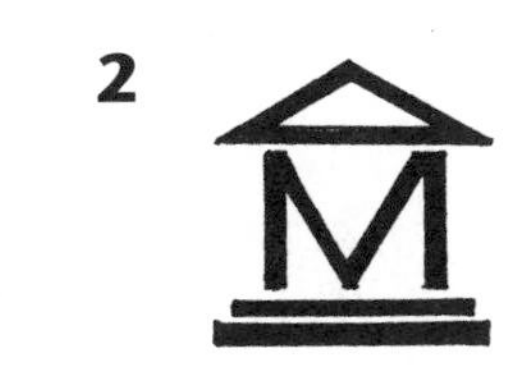 3  4  5 

6  7  8  9  10 

a un teatro	**b** uno stadio	**c** un cinema	**d** uno zoo
e una chiesa ✔	**f** un mercato	**g** un castello	**h** una galleria d'arte
i un museo	**l** un porto		

2a Insieme fate la cartina di Cittabella. Scegliete un massimo di otto luoghi.
In pairs, fill in the key to the map of Cittabella, including up to eight places.

2b Domanda al tuo compagno/alla tua compagna di classe cosa c'è da fare a Cittabella.
Ask your partner what there is to do in Cittabella.

Esempio ***B*** *Cosa c'è da fare a Cittabella?*
A *Puoi fare la spesa.*
B *Dove?*
A *Al mercato.*

1 ______________________

2 ______________________

3 ______________________

4 ______________________

5 ______________________

6 ______________________

7 ______________________

8 ______________________

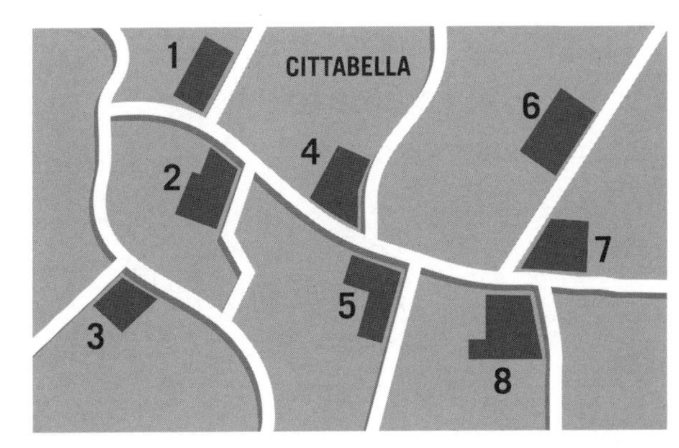

1

Unisci. *Match the symbols and the descriptions.*

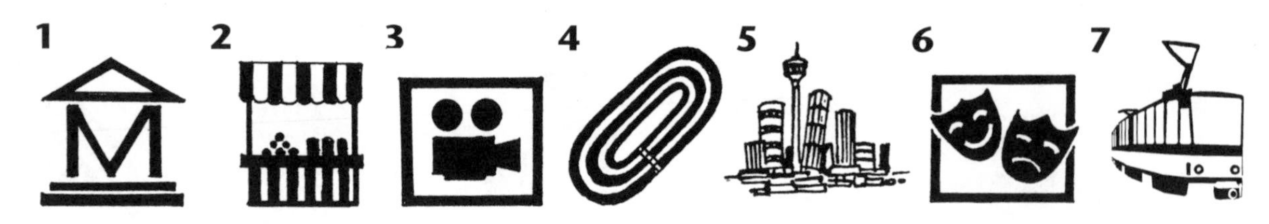

1	2	3	4	5	6	7
b						

a Si fa una passeggiata in città.

b Si visita il museo.

c Si va a teatro.

d Si prende il tram turistico.

e Si va al cinema.

f Si va al mercato.

g Si va allo stadio.

2

Proponi le attività al tuo compagno/alla tua compagna di classe. Scrivi le risposte a pagina 67.
Suggest the activities listed above to your partner. Write his/her answers on page 67.
Esempio **A** *Si fa una passeggiata in Galleria?*
B *Sì, mi va proprio!*

Fantastico!

Che buon'idea!

Mah, non mi piace molto.

Mi va proprio!

Veramente non mi va.

Non è molto interessante.

3

Cosa c'è da fare nella tua città? Scrivi quattro attività a pagina 67.
What is there to do in your town or city? Write four activities on page 67.

1

Completa la tabella con i verbi.
Fill in the grid with the verbs listed in the box.

Flashback

Volere (to want), *potere* (can, to be able to), *dovere* (must, to have to), *andare* (to go) and *fare* (to do, to make) are very common verbs in Italian but they are irregular verbs. You will need to learn them.

	volere	potere	dovere	andare	fare
io	*voglio*	posso	devo	vado	faccio
tu	vuoi	puoi	devi	vai	fai
lei/lui/si	vuole	puō	deve	va	fa
noi	vogliamo	possiamo	dobbiamo	andiamo	facciamo
voi	volete	potete	dovete	andate	fate
loro	vogliono	possono	devono	vanno	fanno

fai
deve
va
vai
devi

voglio
fanno
faccio
fa
vogliono

dovete
vado
vogliamo
puoi
può

andiamo
possono
andate
volete
dobbiamo

vuoi
vuole
posso
facciamo
fate

potete
devono
devo
vanno
possiamo

2a

Completa le frasi con la forma corretta dei verbi.
Fill in the correct form of the verbs in brackets.

Sofia

Il sabato mattina *vado* in piscina. [*andare*]
Il sabato pomeriggio ________ andare alla partita di tennis. [*dovere*]
Il sabato sera ________ judo al centro sportivo. [*fare*]
Se io ________, io ________ stare in forma! [*potere*] [*volere*]

Enrico e Luca

Il sabato mattina noi *andiamo* al centro per i giovani per giocare a calcio. [*andare*]
Il sabato pomeriggio ________ andare alla partita di rugby. [*dovere*]
Il sabato sera ________ karatè. [*fare*]
Se noi ________, noi ________ stare in forma! [*potere*] [*volere*]

2b

Chi dice la verità, Sofia o Enrico e Luca?

____

Who's telling the truth?

La mappa del Tesoro

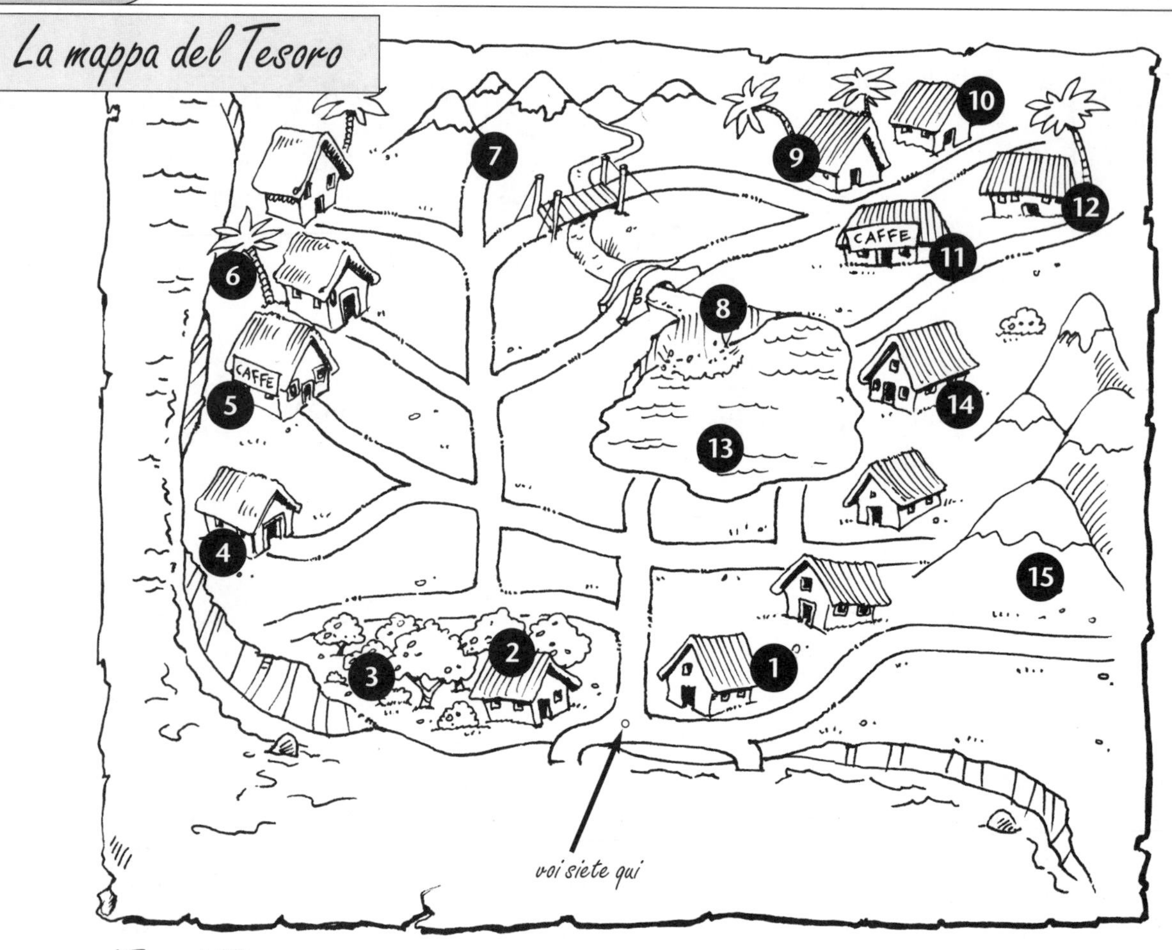

Per trovare il Tesoro del Pirata . . .
Si deve uscire dal porto. [A] Si deve andare sempre diritto. [B] Si deve prendere la seconda a sinistra. [C] Si deve girare a destra e [D] si deve prendere la prima a destra. Si deve andare sempre diritto. Il tesoro è là, a sinistra, nella capanna accanto alle palme, di fronte al caffè.

la capanna	*hut*
la palma	*palm tree*

1a Leggi le istruzioni e unisci i simboli.
Read the directions and match them to the symbols.

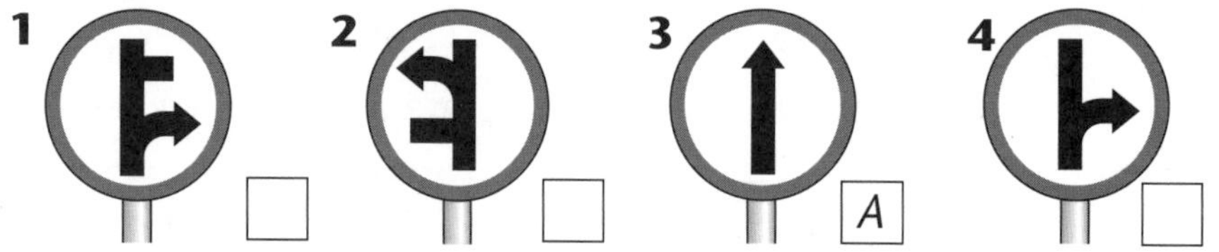

1b Trova il tesoro! Che numero è?
Find the treasure. What number is it?

2 Tocca a te nascondere il tesoro nell'isola (da 1 a 15). Scrivi le istruzioni per il tuo compagno/la tua compagna di classe a pagina 67.
It's your turn to hide the treasure on the island. Choose a number from 1 to 15 and write instructions for your partner on page 67.

Le attività del week-end ☆	Weekend activities
Cosa vuoi fare questo fine settimana?	*What do you want to do this weekend?*
sabato/domenica mattina	*Saturday/Sunday morning*
sabato pomeriggio	*Saturday afternoon*
sabato sera	*Saturday evening*
Vado in piscina.	*I'm going to the swimming pool.*
Faccio la spesa.	*I'm doing the (food) shopping.*
Voglio uscire con i miei amici.	*I want to go out with my friends.*
Voglio dormire.	*I want to sleep.*
Faccio i compiti.	*I'm doing my homework.*
Voglio andare a trovare i nonni.	*I want to go and see my grandparents.*
Voglio guardare il calcio alla televisione	*I want to watch soccer/football on the television.*
Non lo so.	*I don't know.*

In città ☆	Places in town
Cosa c'è da fare a . . .	*What is there to do in . . .*
un teatro	*a theatre*
un cinema	*a cinema*
una chiesa	*a church*
un castello	*a castle*
uno stadio	*a stadium*
uno zoo	*a zoo*
un mercato	*a market*
una galleria d'arte	*an art gallery*
un museo	*a museum*
un porto	*a port*

Le direzioni ☆	Directions
Si deve andare sempre diritto.	*You must go straight on.*
Si deve girare a destra.	*You must turn right.*
Si deve girare a sinistra.	*You must turn left.*
Si deve prendere la prima (strada) a destra.	*You must take the first (street) on the right.*
Si deve prendere la seconda (strada) a sinistra.	*You must take the second (street) on the left.*
È accanto al caffè.	*It's next to the café.*
È di fronte al caffè.	*It's opposite the café.*
È là, a sinistra.	*It's there, on the left.*

Le attività del week-end ☆	Weekend activities
Si fa una passeggiata in Galleria.	*You go for a walk in the Galleria.*
Si visita il museo.	*You visit the museum.*
Si va a teatro.	*You go to the theatre.*
Si prende il tram turistico.	*You take the tourist tram.*
Si va al cinema.	*You go to the cinema.*
Si va al mercato.	*You go to the market.*
Si va allo stadio.	*You go to the stadium.*

I can . . .	**Students' Book page**	**Me**	**Checked by my partner**
ask about someone's plans for the weekend	*100–101*	☐	☐
say what my plans are for the weekend		☐	☐
name ten places in a town	*102–103*	☐	☐
find out what places there are in town		☐	☐
say what places there are		☐	☐
say what places there aren't		☐	☐
say what people normally do in a town	*104–105*	☐	☐
make suggestions for a visit		☐	☐
give an opinion		☐	☐
ask for directions	*106–107*	☐	☐
understand and give directions		☐	☐
Grammar:			
use all forms of *volere*	*101*	☐	☐
use all forms of *potere*	*103*	☐	☐
use the impersonal *si*	*104*	☐	☐
use all forms of *andare* and *fare*	*105*	☐	☐
use all forms of *dovere*	*106*	☐	☐

What I found easy: ____________________

What I found difficult and need to go over again: ____________________

What I need to learn by heart: ____________________

What I liked doing most: ____________________

si esce – si prende –
si mangia – si visita
si va – si fa

Activities in your city.

Nella mia città si possono fare tante cose. Si va in centro ai negozi. Si visita i musei. Si va al parco. Si prende il tram turistico. Si va anche al teatro e al cinema.

How you spend your weekend

Sabato mattina vado in centro per comprare le scarpe. La sera vado al cinema con mia amica. Magnifico! Domenica mattina vado a trovare mia nonna. Il pomeriggio finisco i compiti. Noioso! Domenica sera usciamo e andiamo al ristorante. Si mangia una pizza e si fa una passeggiata.

a
b
c
d
e
f

1 Che paese è?
Which country is it?

a LA CIFARAN
La Francia

b L'TALRIASAU

c IL PEONGPAI

d L'HTENARIGRLI

e GLI TATSI INUIT

f I EPISA SISAB

2 Completa le frasi.
Write in, negli *or* nei *in the gaps to complete the sentences.*

1 Vado ________ Francia.

2 Vai ________ Giappone.

3 Va ________ Paesi Bassi.

4 Andiamo ________ Inghilterra.

5 Vanno ________ Spagna.

6 Andate ________ Stati Uniti.

1

Unisci le frasi ai disegni.
Match the sentences and the symbols.

1	2	3	4	5	6	7	8	9	10
c	g	l	i	d	h	a	f	e	b

1 fa caldo

2 c'è il sole

3 fa freddo

4 è nuvoloso

5 tira vento

6 c'è la nebbia

7 c'è un temporale

8 piove

9 nevica

10 c'è il ghiaccio

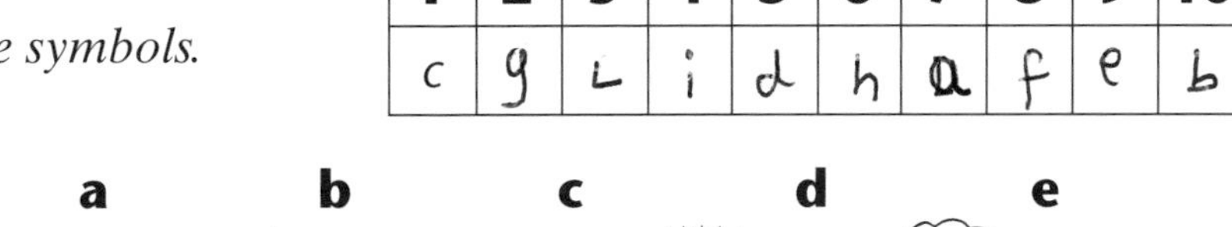

2

Guarda la mappa d'Italia. Completa il testo.
Look at the map of Italy and write the correct description of the weather in each gap in the text.

giovedì 28 ottobre

Oggi *tira vento* a Roma.

A Palermo non fa bel tempo: ______________________________.

A Bari fa bel tempo: ______________________________.

Anche a Campobasso fa bel tempo: ______________________________.

A Perugia ________________

e a Bologna ______________________.

È già inverno a Milano,

dove ________________!

A Torino non dimenticare
l'ombrello, perché ________________.

1

Leggi la lettera di Joelle a pagina 116 di *Tutti insieme!* Scegli la risposta giusta.
Read the letter on page 116 of Tutti insieme! *and tick the right answer.*

1 Joelle e i suoi genitori:

- **a** abitano in un appartamento a Sydney. ☐
- **b** abitano in una villetta a Sydney. ☐

2 In Australia:

- **a** non ci sono molti italiani. ☐
- **b** ci sono molti italiani. ☐

3 Il quartiere di Leichhardt:

- **a** è noioso. ☐
- **b** è divertente. ☐

4 I ragazzi australiani:

- **a** amano uscire insieme. ☐
- **b** preferiscono stare a casa. ☐

5 La sera:

- **a** non si esce spesso. ☐
- **b** si va a prendere un gelato insieme. ☐

6 Joelle:

- **a** non è contenta in Australia, vuole ritornare in Italia. ☐
- **b** è contenta e vuole vedere di più del paese. ☐

2

Descrivi la zona dove abiti.
Describe where you live.

Espressioni utili
È una zona molto bella/tranquilla/turistica/pulita/storica.
Nella mia zona c'è un parco . . .
Ci sono molti laghi/ristoranti . . .
Mi piace/Non mi piace.

Abito a ______________________________

1 "Io e la mia famiglia in vacanza . . . " Racconta cosa fate insieme. Usa le espressioni qui sotto.
Write about you and your family on holidays, using the pictures as a guide. Use all the phrases given in the box.

- andare in spiaggia ✔
- mangiare al ristorante
- fare lo shopping e guardare le vetrine
- visitare i musei e i monumenti
- andare in discoteca
- fare delle passeggiate
- prendere il sole
- giocare a pallavolo

Ciao Fabio e Sergio!

Siamo qui a Bari. Fa bel tempo e fa molto caldo. Ogni giorno andiamo in spiaggia . . .

1 Disegna l'ora.
Draw in the right time on the clocks.

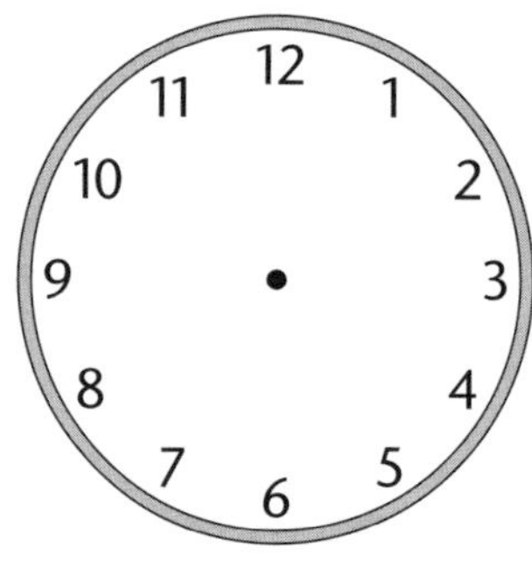
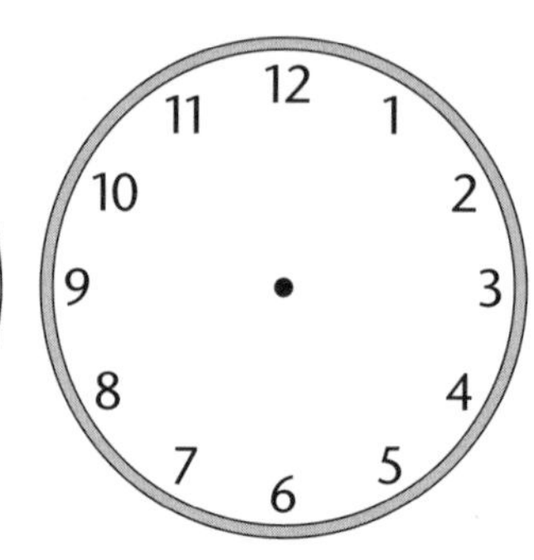

1 È l'una.

2 Sono le due meno un quarto.

3 Sono le undici e mezza.

4 Sono le sette e dieci.

2 Scrivi l'ora.
Write down what time it is.

1 Sono le sei. **2** ______ **3** ______ **4** ______

3 Leggi la giornata di Elisa e Lisa a pagina 118 di *Tutti insieme!* e completa le frasi.
Read page 118 of Tutti insieme! *and complete the sentences.*

1 Alle sei e venticinque, Elisa e Lisa fanno colazione.

2 ______

3 ______

4 ______

5 ______

6 ______

I paesi ☆	Countries
il Brasile	Brazil
il Giappone	Japan
il Portogallo	Portugal
la Francia	France
la Spagna	Spain
la Germania	Germany
l'Italia	Italy
l'Inghilterra	England
l'Australia	Australia
i Paesi Bassi	the Netherlands
gli Stati Uniti	the United States
Vorrei andare in/ nei/negli . . .	I would like to go to . . .
Vado in/nei/negli . . .	I am going to . . .
Vuoi andare in/nei/ negli . . . ?	Do you want to go . . . ?
Sì, voglio andare in/ nei/negli . . .	Yes , I want to go to . . .
No non voglio andare in/nei/negli . . .	No, I don't want to go to . . .

Le nazionalità ☆	Nationalities
americano(a)	American
giapponese	Japanese
svizzero(a)	Swiss
italiano(a)	Italian
tedesco(a)	German
spagnolo(a)	Spanish
danese	Danish
canadese	Canadian
francese	French
austriaco(a)	Austrian
egiziano(a)	Egyptian
greco(a)	Greek
cinese	Chinese
belga	Belgian
indiano(a)	Indian

Il tempo ☆	The weather
Che tempo fa?	What's the weather like?
In estate	In summer
In inverno	In winter
In primavera	In spring
In autunno	In autumn
Fa bel tempo.	The weather is nice.
Fa caldo.	It's hot.
C'è il sole.	It's sunny.
Fa brutto tempo.	The weather's awful.
Fa freddo.	It's cold.
È nuvoloso.	It's cloudy.
Tira vento.	It's windy.
C'è la nebbia.	It's foggy.
C'è un temporale.	There's a storm.
Piove.	It's raining.
Nevica.	It's snowing.
C'è il ghiaccio.	It's icy.

Le attività quotidiane ☆	Daily activities
Guardiamo/Guardate/ Guardano le vetrine.	We/You/They go window shopping.
Parliamo/Parlate/ Parlano della giornata.	We/You/They talk about the day.
Passiamo/Passate/ Passano tempo insieme.	We/You/They spend time together.
Pranziamo/Pranzate/ Pranzano.	We/You/They have lunch.

I can . . .	**Students' Book page**	**Me**	**Checked by my partner**
name eleven countries	*112–113*	☐	☐
say which countries I want to go to		☐	☐
ask what the weather is like	*114–115*	☐	☐
say what the weather is like		☐	☐
describe places	*116–117*	☐	☐
describe what people do		☐	☐
ask what time it is	*118–119*	☐	☐
say and understand the time		☐	☐
say at what time I do things		☐	☐
say what nationality someone or something is	*120–121*	☐	☐
Grammar:			
in/nei/negli + name of country	*113*	☐	☐
noi, voi, loro + verb	*117*	☐	☐
plural form of masculine and feminine adjectives	*120*	☐	☐

What I found easy: ____________________

What I found difficult and need to go over again: ____________________

What I need to learn by heart: ____________________

What I liked doing most: ____________________

Supermegaquiz

1 Completa i numeri da 0 a 100.
Fill in the blanks for the numbers from 0 to 100.

0 = zero
1 = u _ _
2 = _ _ e
3 = _ r _
4 = q _ _ tt _ _
5 = _ _ _ qu _
6 = s _ _
7 = _ _ tt _
8 = _ tt _
9 = _ _ _ _
10 = dieci
11 = un_ _ ci
12 = _ odici
13 = _ _ _ dici
14 = quattor _ _ _ _
15 = q _ _ _ _ _ _ _
16 = _ _ _ _ _ _
17 = _ _ _ _ _ ss _ tt _
18 = _ _ _ io _ _ _
19 = _ _ _ _ ann _ _ _
20 = v _ _ _ _
21 = _ _ _ _ uno
22 = _ _ _ _ _ _ _ _
23 = _ _ _ _ _ _ _ é
24 = _ _ _ _ _ _ _ _ _ _ _ _
25 = _ _ _ _ _ _ _ _ _ _ _
26 = _ _ _ _ _ _ _ _
27 = _ _ _ _ _ _ _ _ _ _
28 = _ _ _ _ _ _ _ _
29 = _ _ _ _ _ _ _ _ _
30 = t _ _ _ _ _
31 = trent _ _ _
32 = _ _ _ _ _ _ _ _ _
33 = _ _ _ _ _ _ _ _ _, ecc.
40 = q _ _ _ _ _ _ _
41 = _ _ _ _ _ _ tu _ _
42 = _ _ _ _ _ _ _ _ _ _ _
43 = _ _ _ _ _ _ _ _ _ _ é, ecc.
50 = _ _ _ _ _ _ _ _ _
51 = cinquantuno
52 = _ _ _ _ _ _ _ _ _ _ _ _
53 = _ _ _ _ _ _ _ _ _ _ _ _, ecc.
60 = _ _ _ _ _ _ _ _
61 = _ _ _ _ _ _ _ uno
62 = sessanta _ _ _
63 = _ _ _ _ _ _ _ _ _ _ _, ecc.
70 = sett _ _ _ _
71 = _ _ _ _ _ _ tuno
72 = _ _ _ _ _ _ _ _ _ ue
73 = settantatré, ecc.
80 = ottanta
81 = _ _ _ _ _ _ _ _ _
82 = _ _ _ _ _ _ _ _ _ _
83 = _ _ _ _ _ _ _ _ _ _, ecc.
90 = n _ _ _ _ _ a
91 = _ _ _ _ _ _ _ no
92 = n _ _ _ _ _ _ _ _ _
93 = _ _ _ _ _ _ _ _ _ é, ecc.
100 = cento

Unità 1

Segna (✔) la risposta giusta.
Tick the right answer.

1 Maggio in Italia è:

a in primavera ☐
b in estate ☐

2 **a** undici + tredici = quattordici ☐
oppure ventiquattro ☐
b quattro + dodici = sedici ☐
oppure quindici ☐

Unità 2

Segna (✔) l'oggetto estraneo.
Tick the odd one out.

1 un libro ☐ un quaderno ☐ un gatto ☐ un astuccio ☐ una penna, ☐
2 italiano ☐ storia ☐ informatica ☐ educazione fisica ☐ fisica nucleare ☐

Unità 3

1 Completa le parole.
Fill in the gaps.

a

b

a il n _ _ _ _

b l'_ _ _ _ _ _ _ _ _ _ _ _ _ _ _

2 Rispondi alle domande.
Answer the questions.

a

b

a Ti piace la lettura? Sì,
_________________ molto!

b Ti piacciono i videogiochi? No, non
_________________ affatto!

Unità 4

Unisci.
Draw arrows between the right pairs.

1 la figlia di mio padre — **a** mio zio
2 la madre di mia madre — **b** mia sorella
3 il fratello di mio padre — **c** mia nonna
4 il figlio di mia zia — **d** mio cugino

Unità 5

Trova il nome di cinque stanze.
Find the names of five rooms.

1 la cu — **a** giorno
2 il sog — **b** gno
3 lo stu — **c** mera
4 il ba — **d** dio
5 la ca — **e** cina

Unità 6

Trova le risposte alle domande alle pagine 74–85 di *Tutti insieme!*
Find the answers to the questions on pages 74–85 of Tutti insieme!

1 Che cosa c'è sulla moneta da un euro italiana?

____

2 Quanti italiani fanno colazione al bar?

____

3 Qual è la pizza più popolare in Italia?

____

4 Conosci il nome commerciale di uno yogurt italiano?

____

Unità 7

Segna (✔) la risposta giusta. *Tick the right answer.*

1

a Ho voglia di dormire. ☐

b Faccio ciclismo. ☐

2

a Bevo molta acqua. ☐

b Ho mal di testa. ☐

Unità 8

Guarda a pagina 106 di Tutti insieme! Vero (✔) o falso (✗)?
Look at page 106 of Tutti insieme! True (✔) or false (✗)?

1 A Milano c'è il Teatro alla Scala. ☐

2 C'è una spiaggia. ☐

3 La Galleria Vittorio Emanuele II è di fronte alla Pinacoteca Ambrosiana. ☐

4 Il Palazzo Reale è accanto al Duomo. ☐

Unità 9

Scrivi delle frasi.
Write sentences.

a

____

____

b

____

____

c

Sono ______________________

____

d

Sono ______________________

____

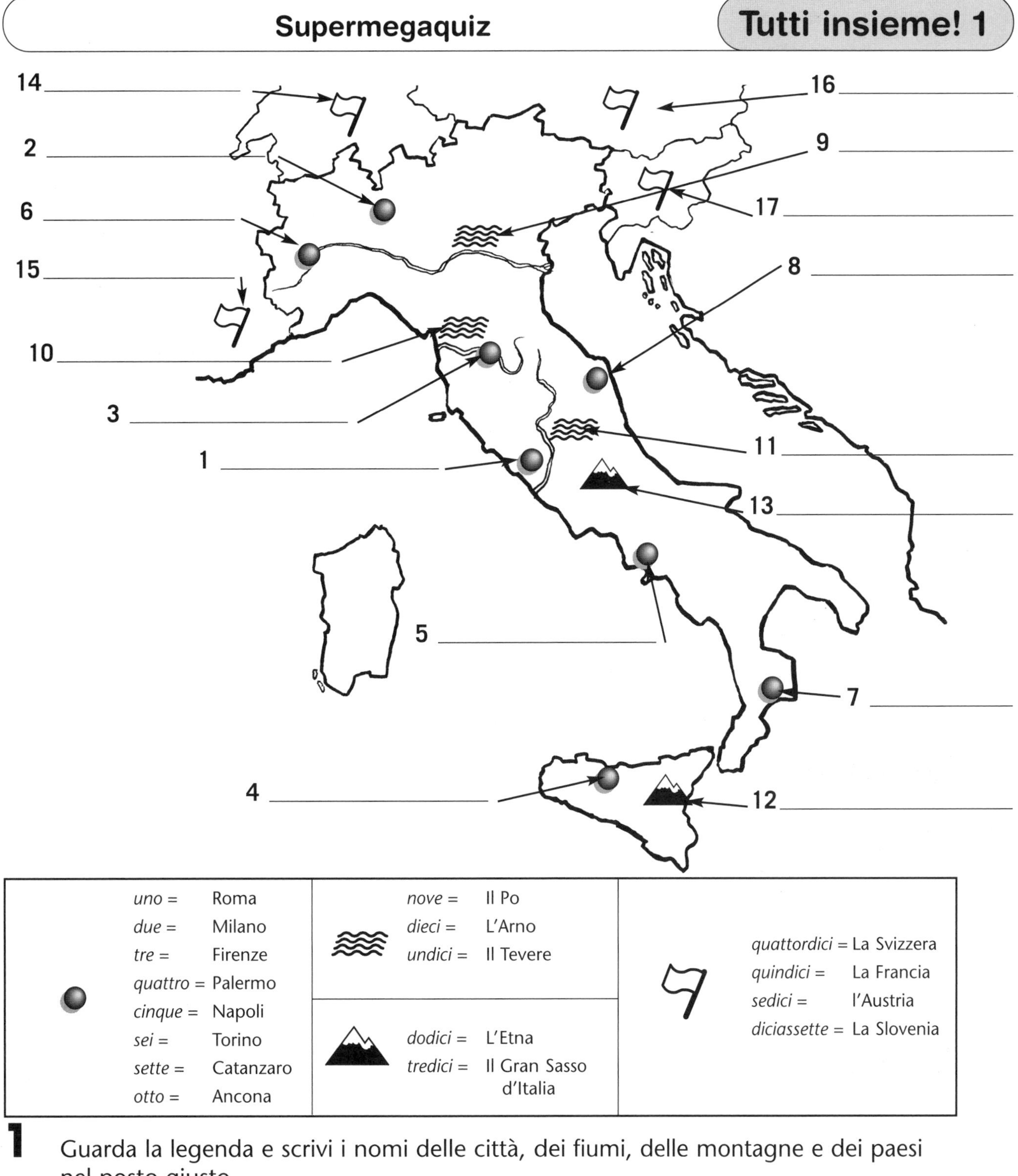

uno = Roma *due* = Milano *tre* = Firenze *quattro* = Palermo *cinque* = Napoli *sei* = Torino *sette* = Catanzaro *otto* = Ancona	*nove* = Il Po *dieci* = L'Arno *undici* = Il Tevere *dodici* = L'Etna *tredici* = Il Gran Sasso d'Italia	*quattordici* = La Svizzera *quindici* = La Francia *sedici* = l'Austria *diciassette* = La Slovenia

1 Guarda la legenda e scrivi i nomi delle città, dei fiumi, delle montagne e dei paesi nel posto giusto.
Look at the key and write the names in the correct places.

2 Rispondi in Italiano alla domanda.
Answer in Italian.
Quale paese vuoi visitare e perché? ______________________________

____

____

plants × 4 = 48
pots × 4 = 72

St = 25
14 5
8
153

20 18
4 4
80 32
0 72

io voglio	io vado
tu vuoi	tu vai
lui vuole	lui va
Noi vogliamo	Noi andiamo
voi volete	voi andate
loro ~~vogliane~~	loro
loro vogliono	

Io devo	Io posso
tu devi	tu puoi
lui deve	lui può
Noi dobbiamo	Noi possiamo
voi dovete	voi potete
loro ~~vogliono~~	loro possono
loro devono	